개념 × 유형은
다양한 유형 학습을 통해
개념을 완성시키는
솔루션입니다.

연구진

이동환_ 부산교육대학교 교수
이상욱_ 풍산자수학연구소 책임연구원

집필진

강연주_ 상도 뉴스터디, 풍산자수학연구소 연구위원
김규상_ 광명 더옳은수학, 풍산자수학연구소 연구위원
김명중_ 상도 뉴스터디, 풍산자수학연구소 연구위원
설성환_ 광명 더옳은수학, 풍산자수학연구소 연구위원
이지은_ 부산 하이매쓰, 풍산자수학연구소 연구위원
윤형은_ 상도 뉴스터디, 풍산자수학연구소 연구위원

교과서 속 **유형**을 빠르게!

풍산자

개념 × 유형

초등 **수학 6-1**

구성과 특징

개념 이해

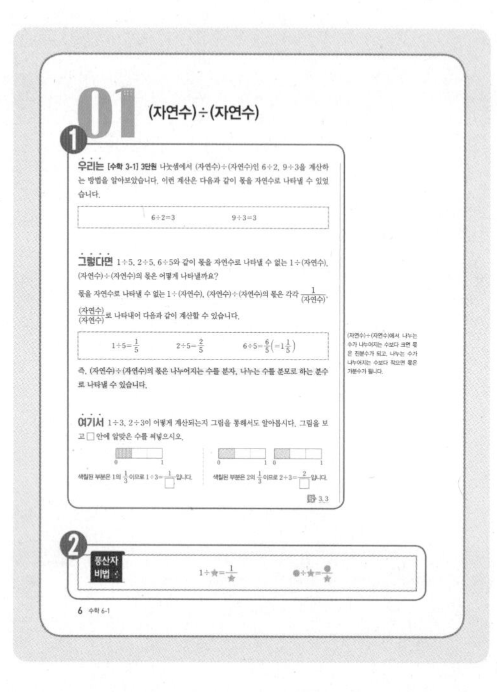

01 (자연수)÷(자연수)

❶ **우리는** [수학 3-1] 3단원 나눗셈에서 (자연수)÷(자연수)인 6÷2, 9÷3을 계산하는 방법을 알아보았습니다. 이런 계산은 다음과 같이 몫을 자연수로 나타낼 수 있었습니다.

6÷2=3　　9÷3=3

그렇다면 1÷5, 2÷5, 6÷5와 같이 몫을 자연수로 나타낼 수 없는 1÷(자연수), (자연수)÷(자연수)의 몫은 어떻게 나타낼까요?

몫을 자연수로 나타낼 수 없는 1÷(자연수), (자연수)÷(자연수)의 몫은 각각 $\frac{1}{(자연수)}$, $\frac{(자연수)}{(자연수)}$로 나타내어 다음과 같이 계산할 수 있습니다.

$1÷5=\frac{1}{5}$　　$2÷5=\frac{2}{5}$　　$6÷5=\frac{6}{5}\left(=1\frac{1}{5}\right)$

즉, (자연수)÷(자연수)의 몫은 나누어지는 수를 분자, 나누는 수를 분모로 하는 분수로 나타낼 수 있습니다.

(자연수)÷(자연수)에서 나누는 수가 나누어지는 수보다 크면 몫은 진분수가 되고, 나누는 수가 나누어지는 수보다 작으면 몫은 가분수가 됩니다.

여기서 1÷3, 2÷3이 어떻게 계산되는지 그림을 통해서도 알아봅시다. 그림을 보고 □ 안에 알맞은 수를 써넣으시오.

색칠된 부분은 1의 $\frac{1}{3}$이므로 $1÷3=\frac{1}{\square}$입니다.　　색칠된 부분은 2의 $\frac{1}{3}$이므로 $2÷3=\frac{2}{\square}$입니다.

답 3, 3

❷ 풍산자 비법

$1÷★=\frac{1}{★}$　　$●÷★=\frac{●}{★}$

6 수학 6-1

❶ 이미 배운 내용으로 앞으로 배울 내용을 자연스럽게 연계한 개념학습으로 읽으면서 이해할 수 있도록 개념을 설명했어요.

❷ 읽으면서 이해한 개념을 풍산자만의 비법으로 한눈에 정리할 수 있도록 하였습니다.

3단계 문제 해결

1단계 교과서 + 익힘책 유형

교과서 + 익힘책 유형

유형으로 개념정복

01 1÷5를 그림으로 나타내고 몫을 구하시오.

02 3÷4의 몫을 분수로 나타내는 과정입니다. □ 안에 알맞은 수를 써넣으시오.

$1÷4=\frac{\square}{\square}$입니다.

3÷4는 $\frac{1}{4}$이 □개입니다.

따라서 $3÷4=\frac{\square}{\square}$입니다.

03 □ 안에 알맞은 수를 써넣으시오.

8÷5=1⋯□

나머지 □을 5로 나누면 $\frac{\square}{5}$

따라서 $8÷5=1\frac{\square}{5}=\frac{\square}{5}$입니다.

04 나눗셈의 몫을 분수로 나타내시오.

(1) 1÷15

(2) 6÷11

(3) 7÷4

(4) 21÷5

05 빈 곳에 알맞은 수를 써넣으시오.

1	7	
5	8	

06 관계 있는 것끼리 이어 보시오.

6÷9 •　　• $\frac{3}{4}$

9÷12 •　　• $\frac{2}{3}$

1. 분수의 나눗셈 7

교과서와 익힘책에 있는 다양한 문제를 풀어보며 배운 개념을 문제에 적용해요.

2단계 교과서 + 익힘책 응용 유형

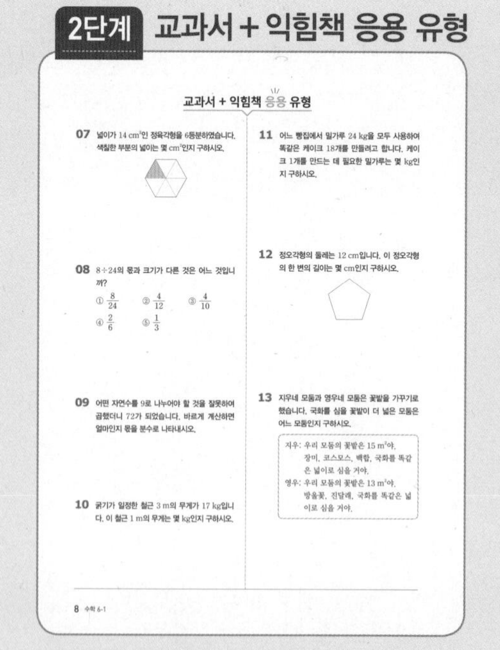

교과서 + 익힘책 응용 유형

07 넓이가 14 cm^2인 정육각형을 6등분하였습니다. 색칠한 부분의 넓이는 몇 cm^2인지 구하시오.

08 8÷24의 몫과 크기가 다른 것은 어느 것입니까?

① $\frac{8}{24}$　② $\frac{4}{12}$　③ $\frac{4}{10}$　④ $\frac{2}{6}$　⑤ $\frac{1}{3}$

09 어떤 자연수를 9로 나누어야 할 것을 잘못하여 곱했더니 72가 되었습니다. 바르게 계산하면 얼마인지 몫을 분수로 나타내시오.

10 굵기가 일정한 철근 3 m의 무게가 17 kg입니다. 이 철근 1 m의 무게는 몇 kg인지 구하시오.

11 어느 빵집에서 밀가루 24 kg을 모두 사용하여 똑같은 케이크 18개를 만들려고 합니다. 케이크 1개를 만드는 데 필요한 밀가루는 몇 kg인지 구하시오.

12 정오각형의 둘레는 12 cm입니다. 이 정오각형의 한 변의 길이는 몇 cm인지 구하시오.

13 지우네 모둠과 영우네 모둠은 꽃밭을 가꾸기로 했습니다. 국화를 심을 꽃밭이 더 넓은 모둠은 어느 모둠인지 구하시오.

지우: 우리 모둠의 꽃밭은 15 m^2야. 장미, 코스모스, 백합, 국화를 똑같은 넓이로 심을 거야.
영우: 우리 모둠의 꽃밭은 13 m^2야. 방울꽃, 진달래, 국화를 똑같은 넓이로 심을 거야.

8 수학 6-1

교과서와 익힘책에 있는 유형을 응용한 문제를 풀어보며 문제 해결력을 높여요.

초등 풍산자 개념×유형의 포인트

1 읽으면서 이해되는 개념

이미 학습한 개념을 바탕으로 앞으로 배울 개념을 자연스럽게 배웁니다.

2 꼭 필요한 핵심 개념 수록

교과서 단원을 재구성한 핵심 개념으로 수학을 가장 빠르고 쉽게 익힙니다.

3 학습에 가장 효율적인 3단계 문제

유형의 3단계 문제 구성으로 수학 실력이 단계적으로 상승합니다.

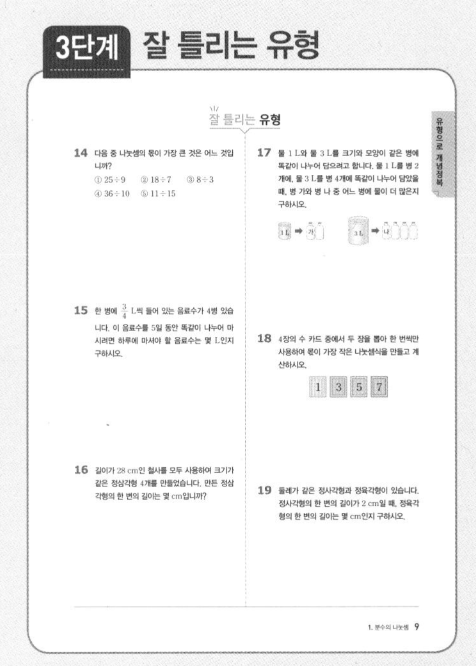

잘 틀리는 유형까지 풀어보며 개념 적용을 완벽하게 완성해요.

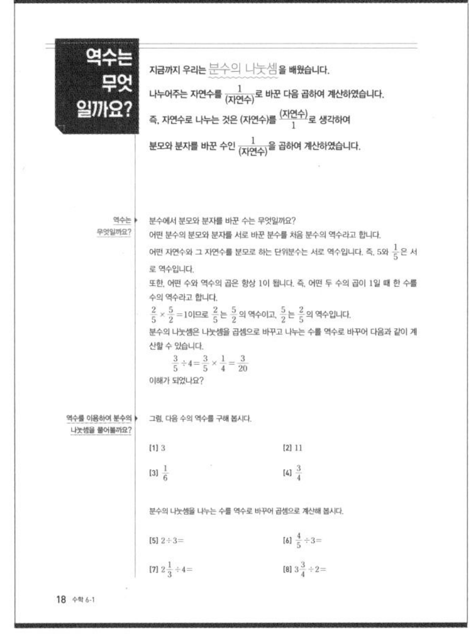

단원별로 배운 개념에서 확장한 문제와 흥미로운 이야기를 담았어요.

차례

1 ::: 분수의 나눗셈

2 ::: 각기둥과 각뿔

3 ::: 소수의 나눗셈

4 ::: 비와 비율

5 ::: 여러 가지 그래프

6 ::: 직육면체의 부피와 겉넓이

1

분수의 나눗셈

공부할 내용	공부한 날
01 (자연수)÷(자연수)	월 일
02 (분수)÷(자연수)	월 일
03 (대분수)÷(자연수)	월 일

01 (자연수)÷(자연수)

우리는 **[수학 3-1] 3단원** 나눗셈에서 (자연수)÷(자연수)인 $6 \div 2$, $9 \div 3$을 계산하는 방법을 알아보았습니다. 이런 계산은 다음과 같이 몫을 자연수로 나타낼 수 있었습니다.

$$6 \div 2 = 3 \qquad 9 \div 3 = 3$$

그렇다면 $1 \div 5$, $2 \div 5$, $6 \div 5$와 같이 몫을 자연수로 나타낼 수 없는 $1 \div$(자연수), (자연수)÷(자연수)의 몫은 어떻게 나타낼까요?

몫을 자연수로 나타낼 수 없는 $1 \div$(자연수), (자연수)÷(자연수)의 몫은 각각 $\frac{1}{(\text{자연수})}$, $\frac{(\text{자연수})}{(\text{자연수})}$로 나타내어 다음과 같이 계산할 수 있습니다.

$$1 \div 5 = \frac{1}{5} \qquad 2 \div 5 = \frac{2}{5} \qquad 6 \div 5 = \frac{6}{5}\left(=1\frac{1}{5}\right)$$

(자연수)÷(자연수)에서 나누는 수가 나누어지는 수보다 크면 몫은 진분수가 되고, 나누는 수가 나누어지는 수보다 작으면 몫은 가분수가 됩니다.

즉, (자연수)÷(자연수)의 몫은 나누어지는 수를 분자, 나누는 수를 분모로 하는 분수로 나타낼 수 있습니다.

여기서 $1 \div 3$, $2 \div 3$이 어떻게 계산되는지 그림을 통해서도 알아봅시다. 그림을 보고 □ 안에 알맞은 수를 써넣으시오.

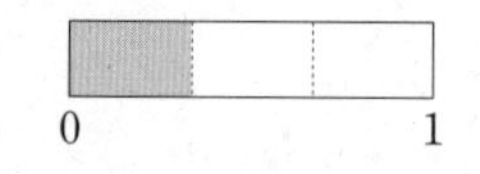

색칠된 부분은 1의 $\frac{1}{3}$이므로 $1 \div 3 = \frac{1}{\square}$입니다.

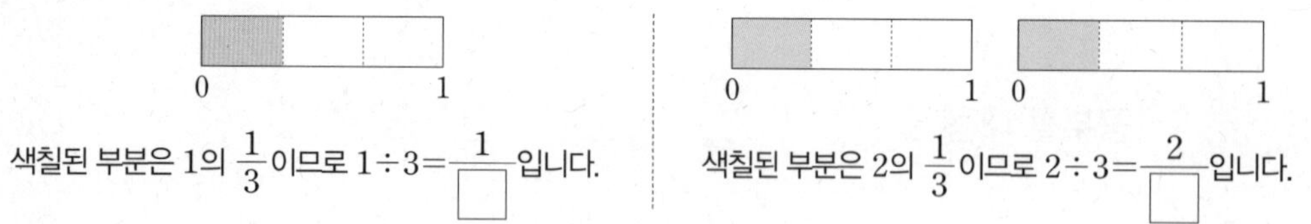

색칠된 부분은 2의 $\frac{1}{3}$이므로 $2 \div 3 = \frac{2}{\square}$입니다.

답 3, 3

풍산자 비법

$1 \div ★ = \frac{1}{★}$ $\qquad$ $● \div ★ = \frac{●}{★}$

교과서 + 익힘책 유형

01 $1 \div 5$를 그림으로 나타내고 몫을 구하시오.

0 1

02 $3 \div 4$의 몫을 분수로 나타내는 과정입니다. □ 안에 알맞은 수를 써넣으시오.

$1 \div 4 = \frac{\square}{\square}$입니다.

$3 \div 4$는 $\frac{1}{4}$이 □개입니다.

따라서 $3 \div 4 = \frac{\square}{\square}$입니다.

03 □ 안에 알맞은 수를 써넣으시오.

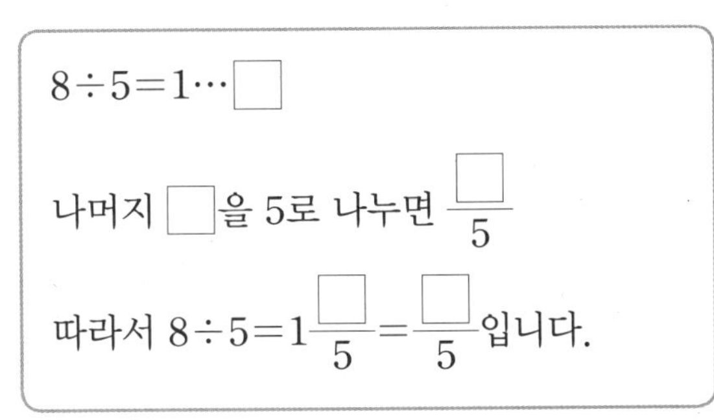

04 나눗셈의 몫을 분수로 나타내시오.

(1) $1 \div 15$

(2) $6 \div 11$

(3) $7 \div 4$

(4) $21 \div 5$

05 빈 곳에 알맞은 수를 써넣으시오.

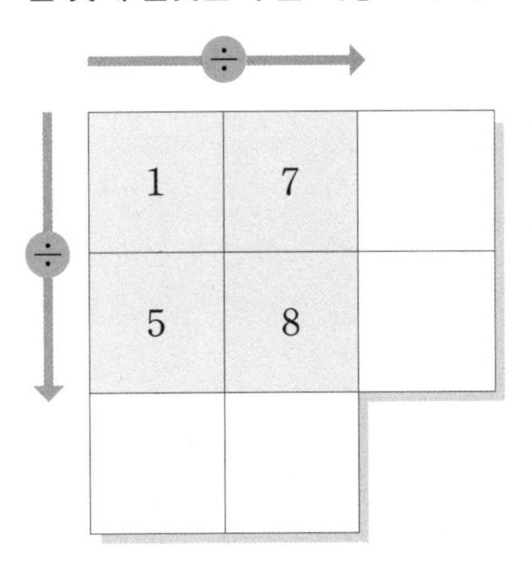

06 관계 있는 것끼리 이어 보시오.

$6 \div 9$ • • $\frac{3}{4}$

$9 \div 12$ • • $\frac{2}{3}$

교과서 + 익힘책 응용 유형

07 넓이가 14 cm^2인 정육각형을 6등분하였습니다. 색칠한 부분의 넓이는 몇 cm^2인지 구하시오.

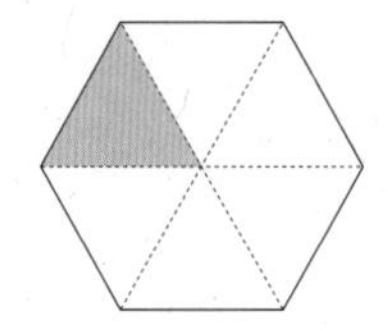

08 $8 \div 24$의 몫과 크기가 다른 것은 어느 것입니까?

① $\frac{8}{24}$ ② $\frac{4}{12}$ ③ $\frac{4}{10}$
④ $\frac{2}{6}$ ⑤ $\frac{1}{3}$

09 어떤 자연수를 9로 나누어야 할 것을 잘못하여 곱했더니 72가 되었습니다. 바르게 계산하면 얼마인지 몫을 분수로 나타내시오.

10 굵기가 일정한 철근 3 m의 무게가 17 kg입니다. 이 철근 1 m의 무게는 몇 kg인지 구하시오.

11 어느 빵집에서 밀가루 24 kg을 모두 사용하여 똑같은 케이크 18개를 만들려고 합니다. 케이크 1개를 만드는 데 필요한 밀가루는 몇 kg인지 구하시오.

12 정오각형의 둘레는 12 cm입니다. 이 정오각형의 한 변의 길이는 몇 cm인지 구하시오.

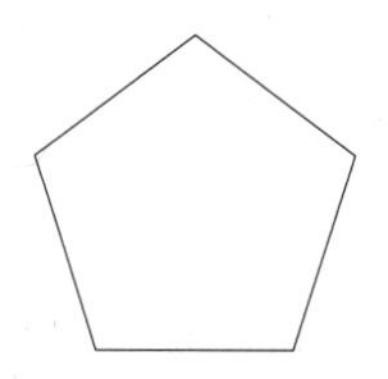

13 지우네 모둠과 영우네 모둠은 꽃밭을 가꾸기로 했습니다. 국화를 심을 꽃밭이 더 넓은 모둠은 어느 모둠인지 구하시오.

> 지우: 우리 모둠의 꽃밭은 15 m^2야.
> 장미, 코스모스, 백합, 국화를 똑같은 넓이로 심을 거야.
> 영우: 우리 모둠의 꽃밭은 13 m^2야.
> 방울꽃, 진달래, 국화를 똑같은 넓이로 심을 거야.

잘 틀리는 유형

14 다음 중 나눗셈의 몫이 가장 큰 것은 어느 것입니까?

① $25 \div 9$　② $18 \div 7$　③ $8 \div 3$
④ $36 \div 10$　⑤ $11 \div 15$

15 한 병에 $\frac{3}{4}$ L씩 들어 있는 음료수가 4병 있습니다. 이 음료수를 5일 동안 똑같이 나누어 마시려면 하루에 마셔야 할 음료수는 몇 L인지 구하시오.

16 길이가 28 cm인 철사를 모두 사용하여 크기가 같은 정삼각형 4개를 만들었습니다. 만든 정삼각형의 한 변의 길이는 몇 cm입니까?

17 물 1 L와 물 3 L를 크기와 모양이 같은 병에 똑같이 나누어 담으려고 합니다. 물 1 L를 병 2개에, 물 3 L를 병 4개에 똑같이 나누어 담았을 때, 병 가와 병 나 중 어느 병에 물이 더 많은지 구하시오.

18 4장의 수 카드 중에서 두 장을 뽑아 한 번씩만 사용하여 몫이 가장 작은 나눗셈식을 만들고 계산하시오.

19 둘레가 같은 정사각형과 정육각형이 있습니다. 정사각형의 한 변의 길이가 2 cm일 때, 정육각형의 한 변의 길이는 몇 cm인지 구하시오.

02 (분수)÷(자연수)

우리는 앞 단원에서 몫이 분수로 나타나는 (자연수)÷(자연수)를 나누어지는 수를 분자, 나누는 수를 분모로 하는 분수로 계산하였습니다.

$2\div3=\frac{2}{3}$, $5\div3=\frac{5}{3}$

그렇다면 $\frac{4}{9}\div2$, $\frac{5}{7}\div3$과 같은 (분수)÷(자연수)는 어떻게 계산할까요?

(분수)÷(자연수)는 분수의 분자가 자연수의 배수일 때에는 분자를 자연수로 나눕니다. 분수의 분자가 자연수의 배수가 아닐 때에는 크기가 같은 분수 중에 분자가 자연수의 배수인 수로 바꾸어 계산합니다. 또한, 분수의 분모에 자연수를 곱하여 계산합니다. 즉, 자연수를 $\frac{1}{(자연수)}$로 바꾼 다음 곱하여 계산합니다.

- $\frac{4}{9}\div2$ [방법 1] $\frac{4}{9}\div2=\frac{4\div2}{9}=\frac{2}{9}$

  [방법 2] $\frac{4}{9}\div2=\frac{4}{9}\times\frac{1}{2}=\frac{4}{18}=\frac{2}{9}$
- $\frac{5}{7}\div3$ [방법 1] $\frac{5}{7}\div3=\frac{15}{21}\div3=\frac{15\div3}{21}=\frac{5}{21}$

  [방법 2] $\frac{5}{7}\div3=\frac{5}{7}\times\frac{1}{3}=\frac{5}{21}$

(분수)÷(자연수)를 분수의 곱셈으로 나타내어 계산할 때에는 분자는 분자끼리, 분모는 분모끼리 곱합니다.

여기서 $\frac{4}{9}\div2$, $\frac{4}{5}\div3$은 어떻게 계산되는지 그림을 통해서도 알아봅시다. □ 안에 알맞은 수를 써넣으시오.

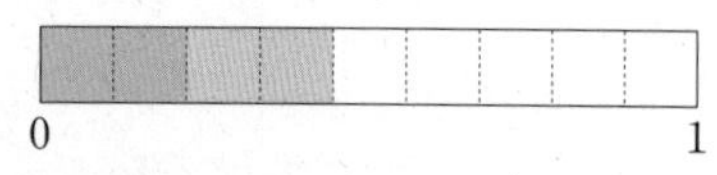

색칠된 부분은 전체의 $\frac{4}{9}$이고, $\frac{4}{9}$를 똑같이 둘로 나누면 $\frac{2}{9}$입니다.

$\frac{4}{9}\div2=\frac{4\div2}{9}=\frac{\square}{9}$

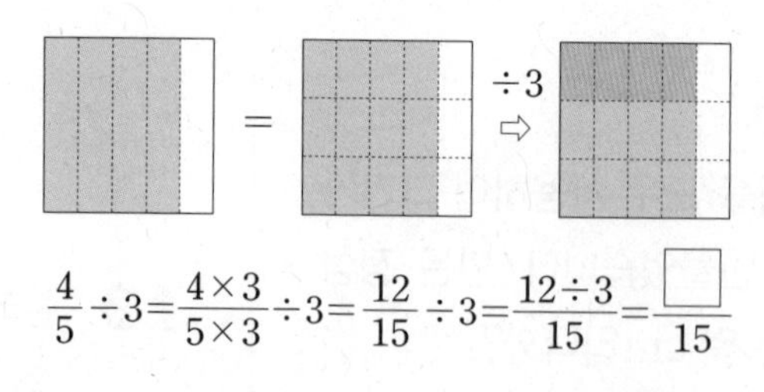

$\frac{4}{5}\div3=\frac{4\times3}{5\times3}\div3=\frac{12}{15}\div3=\frac{12\div3}{15}=\frac{\square}{15}$

답 2, 4

풍산자 비법

$\frac{★}{●}\div■=\frac{★}{●}\times\frac{1}{■}=\frac{★}{●\times■}$

교과서 + 익힘책 유형

01 $\frac{4}{7} \div 2$의 몫을 수직선을 이용하여 구하시오.

02 $\frac{3}{4} \div 4$의 몫을 그림으로 나타내어 구하시오.

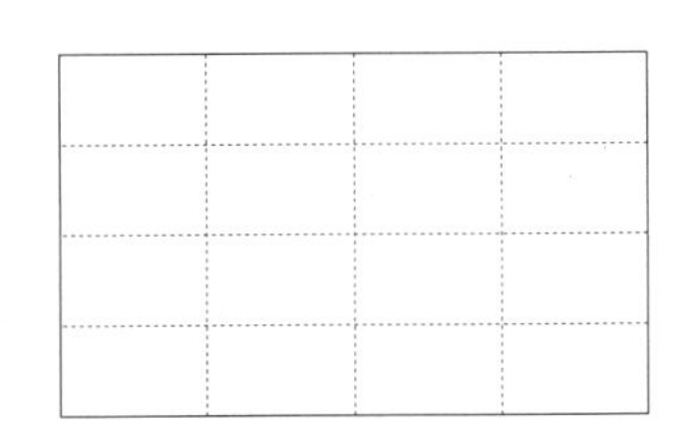

03 □ 안에 알맞은 수를 써넣으시오.

(1) $\frac{6}{13} \div 2 = \frac{\square \div 2}{13} = \frac{\square}{13}$

(2) $\frac{4}{11} \div 3 = \frac{\square}{33} \div 3 = \frac{\square \div 3}{33} = \frac{\square}{33}$

04 잘못 계산한 곳을 찾아 바르게 계산하시오.

$$\frac{11}{9} \div 3 = \frac{11}{9 \div 3} = \frac{11}{3} = 3\frac{2}{3}$$

05 다음을 계산하시오.

(1) $\frac{8}{3} \div 4$

(2) $\frac{3}{10} \div 4$

(3) $\frac{4}{7} \div 3$

(4) $\frac{7}{6} \div 10$

06 관계 있는 것끼리 이어 보시오.

$\frac{6}{7} \div 4$ •	• $\frac{3}{5}$
$\frac{27}{5} \div 9$ •	• $\frac{3}{11}$
$\frac{24}{11} \div 8$ •	• $\frac{3}{14}$

교과서 + 익힘책 응용 유형

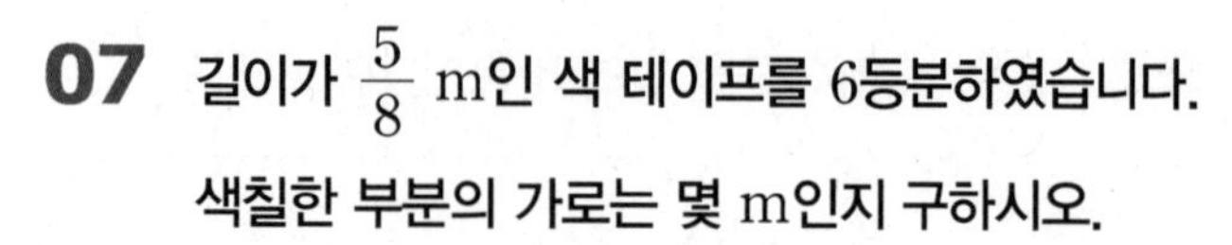

07 길이가 $\frac{5}{8}$ m인 색 테이프를 6등분하였습니다. 색칠한 부분의 가로는 몇 m인지 구하시오.

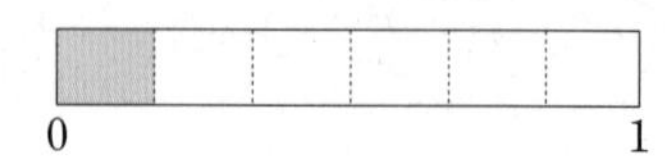

08 정육각형을 똑같은 모양으로 6등분하였습니다. 정육각형의 넓이가 $\frac{15}{7}$ cm^2일 때, 색칠한 부분의 넓이는 몇 cm^2인지 구하시오.

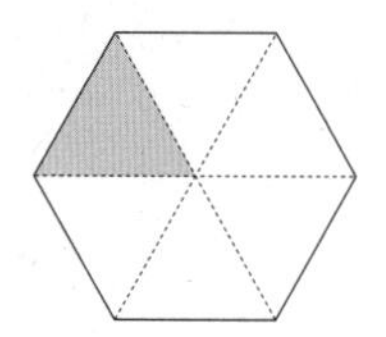

09 포도 주스 $\frac{13}{10}$ L를 크기가 같은 컵 5개에 똑같이 나누어 담았습니다. 컵 한 개에 포도 주스를 몇 L씩 담았는지 구하시오.

10 소금 $\frac{9}{10}$ kg을 4명의 학생에게 똑같이 나누어 주려고 합니다. 한 명에게 몇 kg씩 나누어 줄 수 있는지 구하시오.

11 직사각형의 넓이가 $\frac{71}{40}$ cm^2일 때, 세로는 몇 cm인지 구하시오.

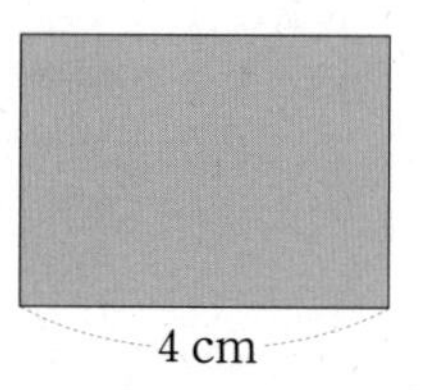

12 어떤 수에 8을 곱하였더니 $\frac{4}{9}$가 되었습니다. 어떤 수를 구하시오.

잘 틀리는 유형

13 □ 안에 알맞은 수를 써넣으시오.

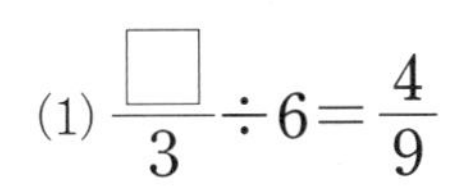

(1) $\frac{\square}{3} \div 6 = \frac{4}{9}$

(2) $\frac{7}{8} \div \square = \frac{7}{32}$

14 수직선에서 ㉠과 ㉡이 나타내는 수를 각각 구하시오.

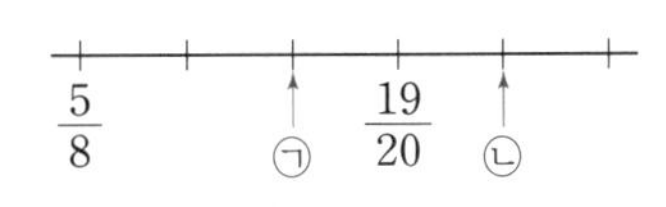

15 숫자 3, 5를 □ 안에 한 번씩 써넣어 계산하려고 합니다. 몫이 더 큰 나눗셈식을 구하시오.

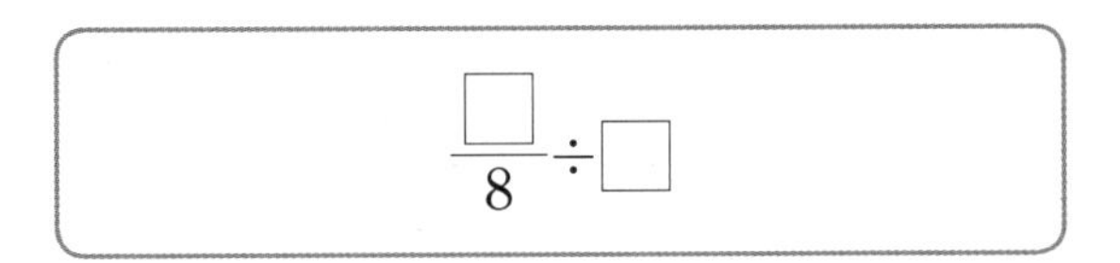

$\frac{\square}{8} \div \square$

16 □ 안에 들어갈 수 있는 자연수 중에서 가장 큰 수를 구하시오.

$\frac{7}{2} \div 3 \times 5 > \square$

17 3장의 수 카드 중에서 2장을 골라 한 번씩만 사용하여 가장 작은 진분수를 만들고, 이 진분수를 나머지 수 카드의 수로 나누었습니다. 나눗셈의 몫을 구하시오.

18 숫자 3, 4, 5를 모두 사용하여 계산 결과가 가장 작은 (분수)÷(자연수)의 나눗셈식을 만들었습니다. 나눗셈식의 몫을 구하시오.

03 (대분수)÷(자연수)

우리는 앞 단원에서 (분수)÷(자연수)를 계산하는 방법을 알아보았습니다.
이런 계산은 분수의 분자가 자연수의 배수일 때에는 분자를 자연수로 나누고, 분수의 분자가 자연수의 배수가 아닐 때에는 크기가 같은 분수 중에 분자가 자연수의 배수인 수로 바꾸어 계산하였습니다. 또한, 분수의 분모에 자연수를 곱하여 계산하였습니다.

- $\frac{6}{7}\div 2=\frac{6\div 2}{7}=\frac{3}{7}$, $\frac{6}{7}\div 2=\frac{6}{7}\times\frac{1}{2}=\frac{3}{7}$
- $\frac{6}{5}\div 4=\frac{12}{10}\div 4=\frac{12\div 4}{10}=\frac{3}{10}$, $\frac{6}{5}\div 4=\frac{6}{5}\times\frac{1}{4}=\frac{3}{10}$

그렇다면 $2\frac{1}{2}\div 4$와 같은 (대분수)÷(자연수)는 어떻게 계산할까요?

(대분수)÷(자연수)는 대분수를 가분수로 바꾼 후 가분수의 분자를 자연수의 배수인 수로 바꾸어 계산합니다. 또한, 대분수를 가분수로 바꾼 후 분수의 곱셈으로 나타내어 다음과 같이 계산합니다.

대분수를 가분수로 나타내기

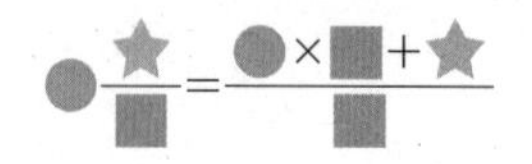

(분수)÷(자연수)
⇨ (분수)$\times\frac{1}{(\text{자연수})}$

$2\frac{1}{2}\div 4$ [방법 1] $2\frac{1}{2}\div 4=\frac{5}{2}\div 4=\frac{20}{8}\div 4=\frac{20\div 4}{8}=\frac{5}{8}$

[방법 2] $2\frac{1}{2}\div 4=\frac{5}{2}\div 4=\frac{5}{2}\times\frac{1}{4}=\frac{5}{8}$

즉, (대분수)÷(자연수)는 대분수를 가분수로 바꾼 후 (분수)÷(자연수)와 같은 방법으로 계산합니다.

여기서 $1\frac{1}{3}\div 2$를 계산하고, 계산 결과가 맞는지 확인하는 방법을 알아봅시다.

□ 안에 알맞은 수를 써넣으시오.

[계산] $1\frac{1}{3}\div 2=\frac{4}{3}\div 2=\frac{4\div 2}{3}=\frac{2}{3}$ 또는 $1\frac{1}{3}\div 2=\frac{4}{3}\times\frac{1}{2}=\frac{2}{3}$

[확인] $\frac{2}{3}$와 2를 곱하면 $\frac{2}{3}\times 2=\frac{4}{3}=1\frac{\square}{3}$이므로 맞게 구한 것입니다.

답 1

풍산자 비법

(대분수)÷(자연수)
⇨ 대분수를 가분수로 바꾼 후 (분수)÷(자연수)와 같은 방법으로 계산한다.

교과서 + 익힘책 유형

01 $1\frac{3}{4}\div2$를 두 가지 방법으로 계산한 것입니다. □ 안에 알맞은 수를 써넣으시오.

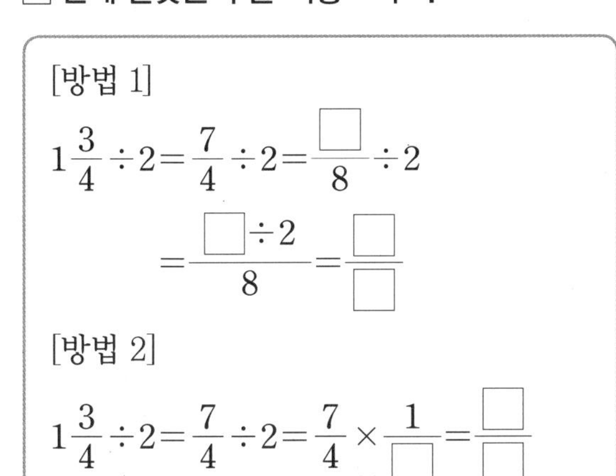

02 □ 안에 알맞은 수를 써넣으시오.

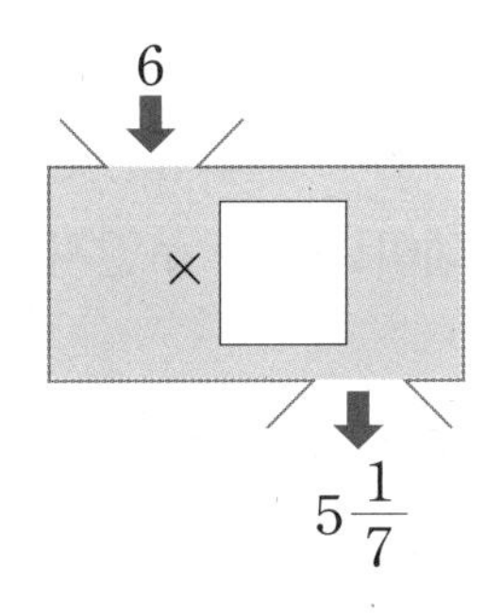

03 $1\frac{5}{6}$는 2의 몇 배인지 구하시오.

04 어떤 수를 4로 나누어야 할 것을 잘못하여 4를 곱하였더니 $3\frac{1}{2}$이 되었습니다. 바르게 계산한 몫을 분수로 나타내시오.

05 잘못 계산한 곳을 찾아 바르게 계산하시오.

$$1\frac{6}{7}\div2=1\frac{6\div2}{7}=1\frac{3}{7}$$

06 삼각형의 넓이가 $8\frac{3}{4}$ cm^2일 때 높이는 몇 cm인지 구하시오.

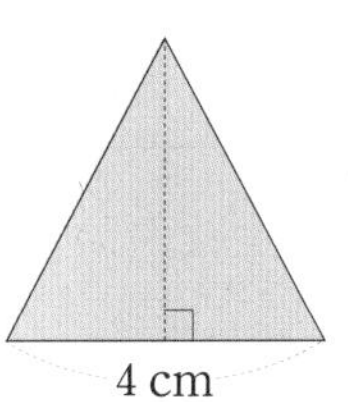

교과서 + 익힘책 응용 유형

07 굵기가 일정한 철사 7 m의 무게가 $1\frac{6}{15}$ kg입니다. 이 철사 1 m의 무게는 몇 kg인지 구하시오.

08 페인트 4통으로 벽면 $6\frac{3}{4}$ m^2를 칠했습니다. 페인트 한 통으로 칠한 벽면의 넓이는 몇 m^2인지 구하시오.

09 □ 안에 들어갈 수 있는 자연수 중에서 가장 작은 수를 구하시오.

$$6\frac{2}{7}\div 6<\square$$

10 마름모의 넓이가 $5\frac{5}{7}$ cm^2일 때 □ 안에 알맞은 수를 구하시오.

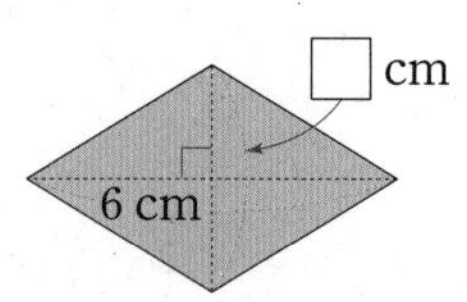

11 승민이는 3시간 동안 $8\frac{7}{10}$ km를 걸었습니다. 한 시간에 몇 km를 걸었는지 구하시오.

12 길이가 $3\frac{3}{4}$ m인 색 테이프를 3명에게 똑같이 나누어 주려고 합니다. 한 사람에게 나누어 주는 색 테이프는 몇 m인지 구하시오.

13 계산 결과가 잘못된 것을 찾아 기호를 쓰시오.

㉠ $6\frac{3}{7}\div 6=1\frac{1}{14}$ ㉡ $5\frac{1}{2}\div 5=1\frac{1}{10}$
㉢ $1\frac{5}{9}\div 7=\frac{2}{9}$ ㉣ $2\frac{6}{7}\div 8=\frac{5}{7}$

잘 틀리는 유형

14 어떤 수에 4를 곱한 후 3으로 나누어야 할 것을 잘못하여 4를 곱한 후 3을 곱하였더니 $6\frac{3}{5}$이 되었습니다. 바르게 계산하면 얼마인지 구하시오.

15 $2\frac{5}{7}$분에 3 km를 달리는 자동차가 있습니다. 이 자동차가 같은 빠르기로 10 km를 달리는 데 걸린 시간은 몇 분인지 구하시오.

16 빈 곳에 알맞은 수를 써넣으시오.

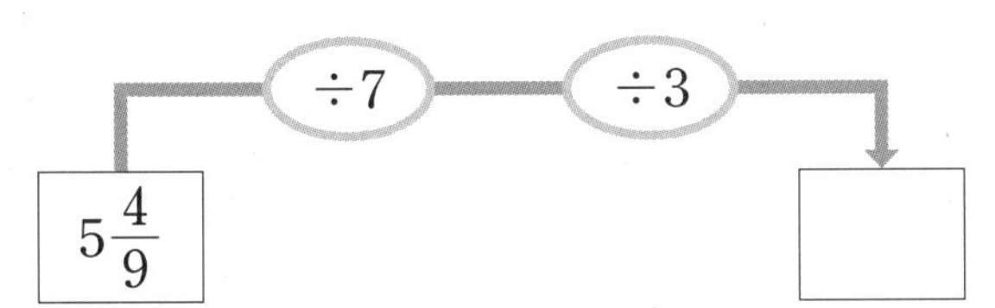

17 길이가 $9\frac{3}{4}$ m인 색 테이프를 3도막으로 똑같이 나눈 후 그중 한 도막으로 가장 큰 정사각형을 한 개 만들었습니다. 이 정사각형의 한 변의 길이는 몇 m인지 구하시오.

18 ●와 ▲는 2에서 6까지의 숫자 중에서 서로 다른 수입니다. $2\frac{4}{7}$ ÷ ● × ▲의 계산 결과가 가장 작을 때는 얼마인지 구하시오.

19 그림과 같은 정사각형과 정육각형의 둘레가 같습니다. 정육각형의 한 변의 길이는 몇 cm인지 구하시오.

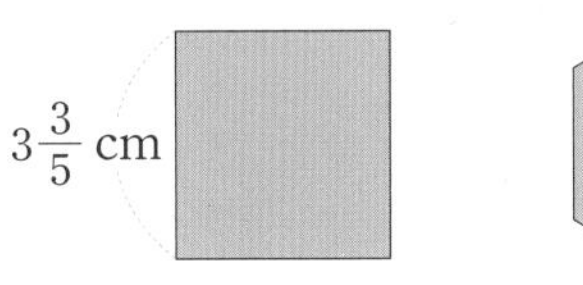

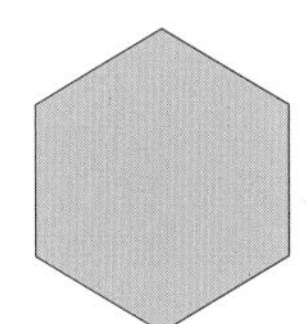

역수는 무엇일까요?

지금까지 우리는 분수의 나눗셈을 배웠습니다.

나누어주는 자연수를 $\frac{1}{(\text{자연수})}$로 바꾼 다음 곱하여 계산하였습니다.

즉, 자연수로 나누는 것은 (자연수)를 $\frac{(\text{자연수})}{1}$로 생각하여

분모와 분자를 바꾼 수인 $\frac{1}{(\text{자연수})}$을 곱하여 계산하였습니다.

역수는 무엇일까요?

분수에서 분모와 분자를 바꾼 수는 무엇일까요?
어떤 분수의 분모와 분자를 서로 바꾼 분수를 처음 분수의 역수라고 합니다.
어떤 자연수와 그 자연수를 분모로 하는 단위분수는 서로 역수입니다. 즉, 5와 $\frac{1}{5}$은 서로 역수입니다.
또한, 어떤 수와 역수의 곱은 항상 1이 됩니다. 즉, 어떤 두 수의 곱이 1일 때 한 수를 수의 역수라고 합니다.
$\frac{2}{5}\times\frac{5}{2}=1$이므로 $\frac{2}{5}$는 $\frac{5}{2}$의 역수이고, $\frac{5}{2}$는 $\frac{2}{5}$의 역수입니다.
분수의 나눗셈은 나눗셈을 곱셈으로 바꾸고 나누는 수를 역수로 바꾸어 다음과 같이 계산할 수 있습니다.

$$\frac{3}{5}\div4=\frac{3}{5}\times\frac{1}{4}=\frac{3}{20}$$

이해가 되었나요?

역수를 이용하여 분수의 나눗셈을 풀어볼까요?

그럼, 다음 수의 역수를 구해 봅시다.

[1] 3

[2] 11

[3] $\frac{1}{6}$

[4] $\frac{3}{4}$

분수의 나눗셈을 나누는 수를 역수로 바꾸어 곱셈으로 계산해 봅시다.

[5] $2\div3=$

[6] $\frac{4}{5}\div3=$

[7] $2\frac{1}{3}\div4=$

[8] $3\frac{3}{4}\div2=$

2

각기둥과 각뿔

04 각기둥

우리는 **[수학 5-2] 5단원** 직육면체에서 직사각형 6개로 둘러싸인 도형인 직육면체를 알아보았습니다. 직육면체에서 선분으로 둘러싸인 부분을 면, 면과 면이 만나는 선분을 모서리, 모서리와 모서리가 만나는 점을 꼭짓점이라고 하였습니다.

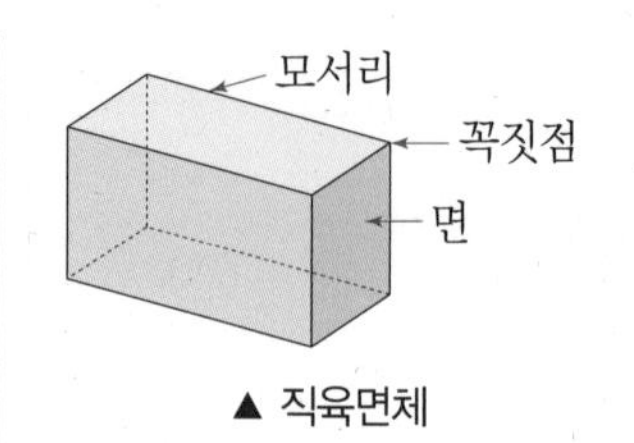

▲ 직육면체

그렇다면 다음과 같이 위와 아래에 있는 면이 서로 평행하고 합동인 다각형으로 이루어진 입체도형을 무엇이라고 할까요?

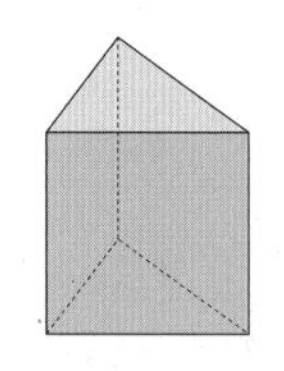
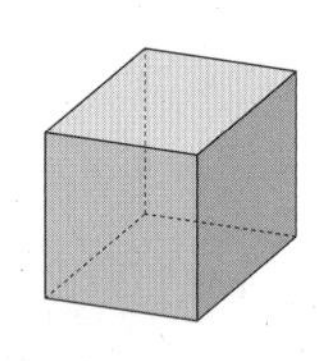
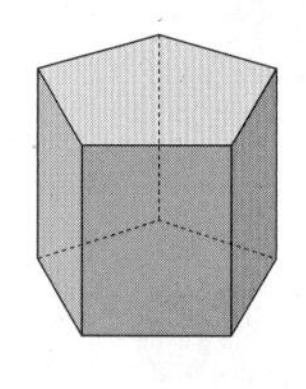
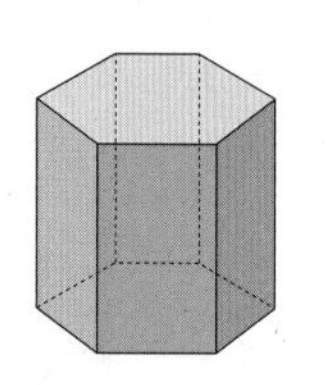

직육면체와 정육면체는 각기둥입니다.

위와 같은 입체도형을 **각기둥**이라고 합니다. 각기둥은 밑면의 모양이 삼각형, 사각형, 오각형……일 때 삼각기둥, 사각기둥, 오각기둥……이라고 합니다.

각기둥에서 면 ㄱㄴㄷ과 면 ㄹㅁㅂ과 같이 서로 평행하고 합동인 두 면을 **밑면**이라고 하고, 면 ㄱㄹㅁㄴ, 면 ㄴㅁㅂㄷ, 면 ㄱㄹㅂㄷ과 같이 두 밑면과 만나는 면을 **옆면**이라고 합니다. 이때 각기둥의 두 밑면은 옆면들과 모두 수직으로 만나고 옆면은 모두 직사각형입니다.

각기둥에서 면과 면이 만나는 선분을 **모서리**, 모서리와 모서리가 만나는 점을 **꼭짓점**, 두 밑면 사이의 거리를 **높이**라고 합니다.

합동인 두 밑면의 대응하는 꼭짓점을 이은 모서리의 길이는 각기둥의 높이와 같습니다.

여기서 각기둥의 꼭짓점, 면, 모서리의 수를 알아봅시다. 빈 곳에 알맞은 수를 써넣으시오.

도형	삼각기둥	사각기둥	오각기둥	육각기둥
꼭짓점의 수(개)	6	8		12
면의 수(개)	5	6	7	
모서리의 수(개)		12	15	18

답 (위에서부터) 10, 8, 9

구분	☆각기둥
밑면의 모양	☆각형
밑면의 수(개)	2
옆면의 모양	직사각형
옆면의 수(개)	☆
한 밑면의 변의 수(개)	☆
면의 수(개)	☆+2
꼭짓점의 수(개)	☆×2
모서리의 수(개)	☆×3

풍산자 비법

★각기둥 ⇨ 면의 수는 ★+2, 꼭짓점의 수는 ★×2, 모서리의 수는 ★×3

교과서 + 익힘책 유형

[01-02] 입체도형을 보고 물음에 답하시오.

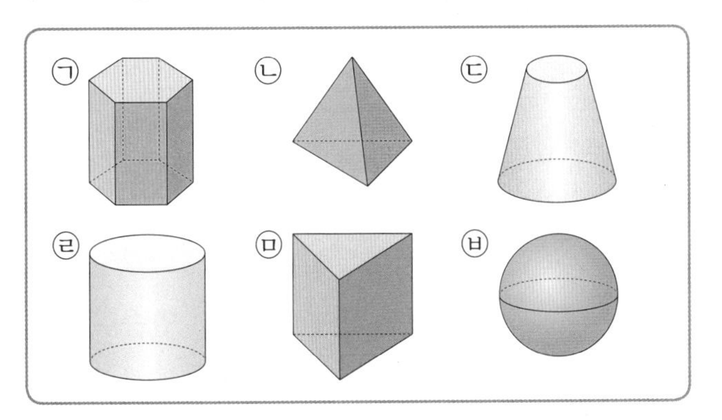

01 모든 면이 평면인 입체도형을 모두 찾아 기호를 쓰시오.

02 각기둥을 모두 찾아 기호를 쓰시오.

03 빈 곳에 알맞은 수를 써넣으시오.

도형	팔각기둥
면의 수(개)	
모서리의 수(개)	
꼭짓점의 수(개)	

04 다음 중 오른쪽 도형의 각 부분의 이름이 바르게 짝지어지지 않은 것은 어느 것입니까?

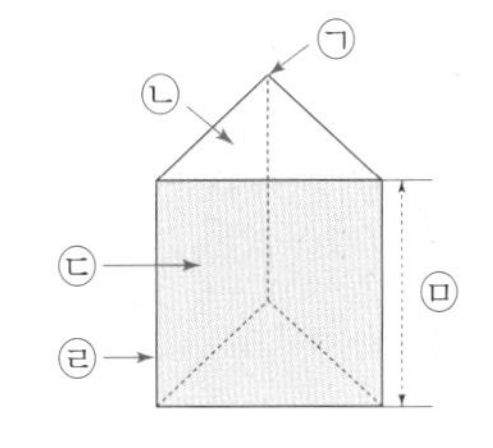

① ㉠ - 꼭짓점　② ㉡ - 옆면
③ ㉢ - 옆면　④ ㉣ - 모서리
⑤ ㉤ - 높이

05 각기둥을 보고 밑면의 모양과 각기둥의 이름을 쓰시오.

각기둥			
밑면의 모양			
각기둥의 이름			

06 각기둥을 보고 물음에 답하시오.

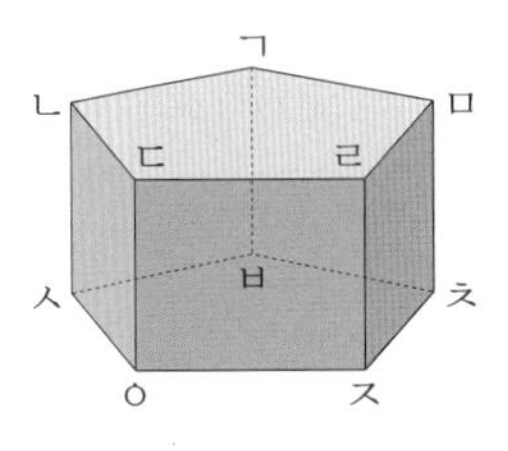

(1) 밑면을 모두 찾아 쓰시오.

(2) 밑면에 수직인 면은 몇 개인지 쓰시오.

교과서 + 익힘책 응용 유형

[07-08] 그림을 보고 물음에 답하시오.

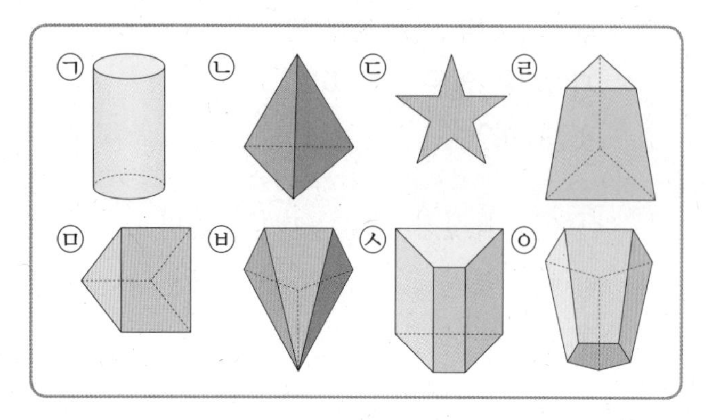

07 입체도형을 모두 찾아 기호를 쓰시오.

08 각기둥을 모두 찾아 기호를 쓰시오.

[09-10] 각기둥을 보고 물음에 답하시오.

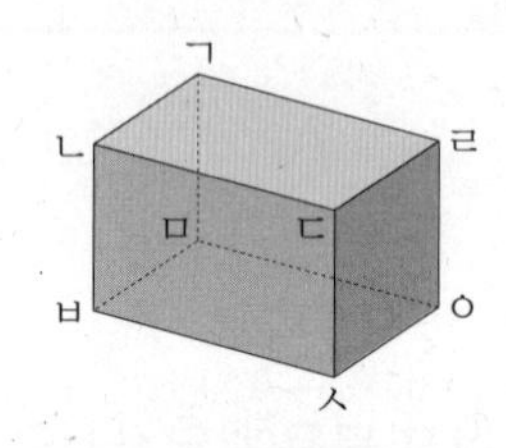

09 면 ㄷㅅㅇㄹ이 밑면일 때, 다른 한 밑면을 찾아 쓰시오.

10 면 ㄱㅁㅇㄹ이 밑면일 때, 높이를 나타내는 선분을 모두 찾아 쓰시오.

11 각기둥에 대한 설명으로 옳은 것은 어느 것입니까?

① 두 밑면은 서로 평행합니다.

② 옆면은 삼각형입니다.

③ 옆면은 2개입니다.

④ 옆면은 모두 합동입니다.

⑤ 원은 각기둥의 밑면이 될 수 있습니다.

12 각기둥의 높이는 몇 cm인지 구하시오.

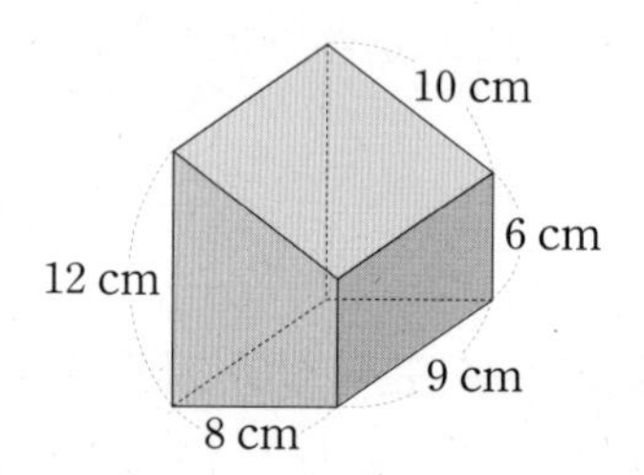

13 빈 곳에 들어갈 알맞은 각기둥의 이름을 써넣으시오.

입체도형의 이름	꼭짓점의 수(개)	면의 수(개)	모서리의 수(개)
	6	5	9

잘 틀리는 유형

14 삼각기둥에 대한 설명으로 옳지 않은 것은 어느 것입니까?

① 밑면의 모양은 삼각형입니다.

② 옆면의 모양은 삼각형입니다.

③ 밑면은 2개입니다.

④ 꼭짓점은 6개입니다.

⑤ 모서리는 9개입니다.

15 ㉮와 ㉯의 합을 구하시오.

> 십각기둥의 모서리의 수는 ㉮입니다.
> 팔각기둥의 꼭짓점의 수는 ㉯입니다.

16 각기둥의 높이는 몇 cm인지 구하시오.

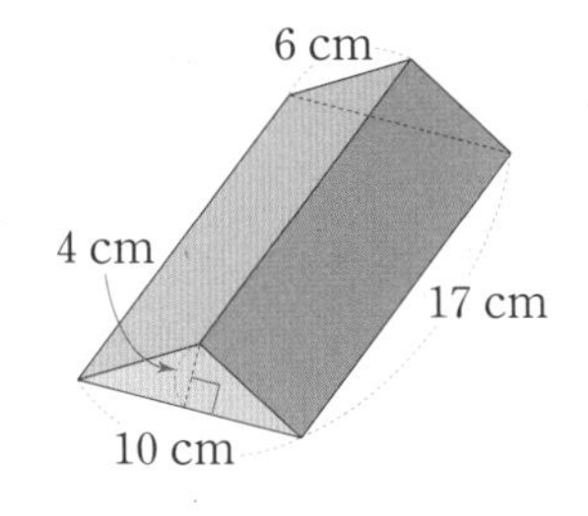

17 각기둥의 밑면이 정삼각형일 때, 모든 모서리의 길이의 합을 구하시오.

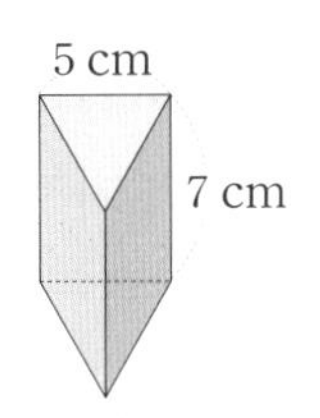

18 면의 수, 모서리의 수, 꼭짓점의 수의 합이 74개인 각기둥이 있습니다. 이 각기둥의 밑면은 어떤 도형인지 구하시오.

19 오각기둥 모양의 상자의 옆면 두 군데를 색 테이프로 겹치지 않게 둘러싸려고 합니다. 필요한 색 테이프의 길이가 적어도 40 cm일 때, 이 오각기둥의 모든 모서리의 길이의 합을 구하시오.

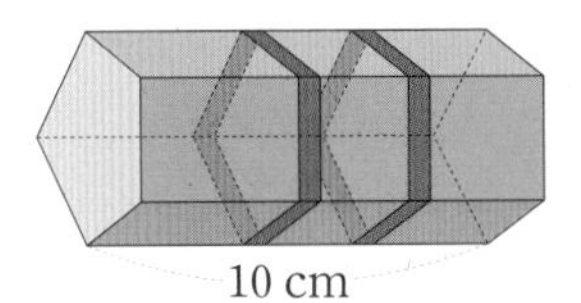

05 각기둥의 전개도

우리는 [수학 5-2] 5단원 직육면체에서 직육면체의 전개도를 알아보았습니다. 직육면체의 전개도는 여러 가지 방법으로 그릴 수 있었고 그중 하나를 그리면 다음과 같습니다.

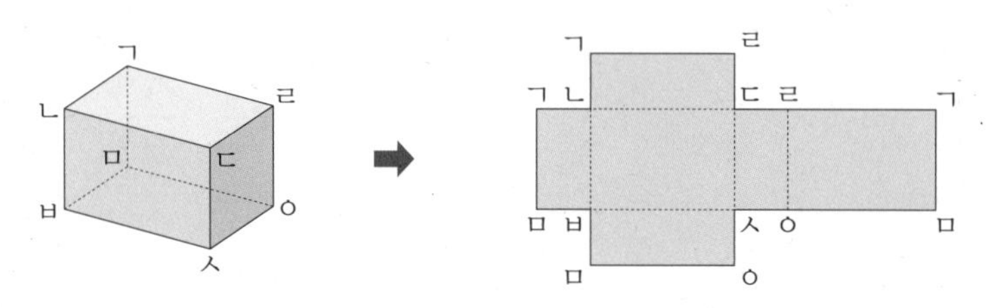

전개도에서 잘린 모서리는 실선으로, 잘리지 않은 모서리는 점선으로 표시합니다.

직육면체의 전개도를 바르게 그렸는지 확인하기 위해서는 모양과 크기가 같은 면이 3쌍인지, 접었을 때 맞닿는 선분의 길이가 같은지, 겹쳐지는 면은 없는지 확인합니다.

그렇다면 각기둥의 전개도는 어떻게 그릴까요?

각기둥의 모서리를 잘라서 평면 위에 펼쳐 놓은 그림을 각기둥의 **전개도**라고 합니다. 각기둥의 전개도에서 두 밑면은 서로 합동인 다각형이고, 옆면은 모두 직사각형입니다. 각기둥의 전개도는 모서리를 자르는 방법에 따라 다음과 같이 여러 가지 모양으로 그릴 수 있습니다.

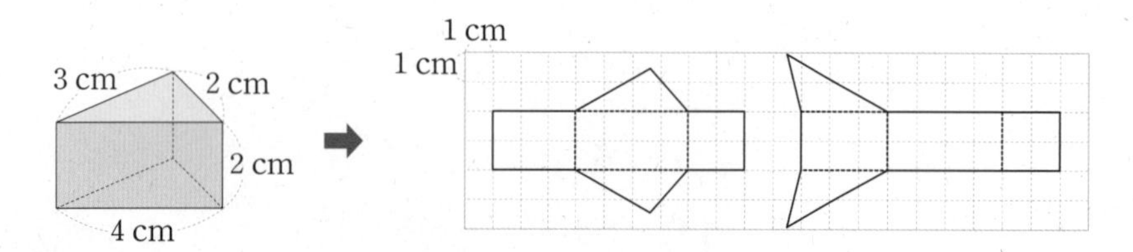

여기서 각기둥의 전개도를 그릴 때 주의해야 할 점을 알아봅시다. □ 안에 알맞은 것을 써넣으시오.

(1) 서로 만나는 선분의 길이는 같게 그립니다.
(2) 서로 겹치는 면이 없도록 그립니다.
(3) 두 밑면은 서로 합동이 되도록 그립니다.
(4) 옆면은 한 밑면의 변의 수만큼 □ 모양으로 그립니다.

답 직사각형

각기둥의 전개도가 아닌 경우
- 서로 만나는 선분의 길이가 다른 경우
- 두 밑면이 서로 합동이 아닌 경우
- 옆면의 수가 잘못된 경우

풍산자 비법

★각기둥의 전개도
⇨ 밑면은 2개이고, 밑면의 모양은 합동인 ★각형이다.
⇨ 옆면은 ★개이고, 옆면의 모양은 직사각형이다.

교과서 + 익힘책 유형

01 전개도를 접어 삼각기둥을 만들 때 선분 ㄹㅁ과 맞닿는 선분을 찾아 쓰시오.

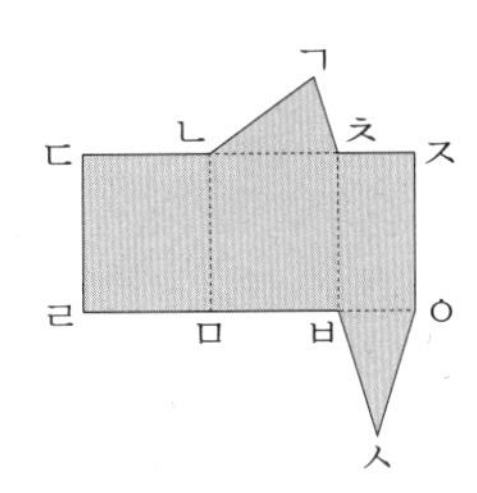

02 사각기둥의 전개도입니다. 나머지 부분을 그려 전개도를 완성하시오.

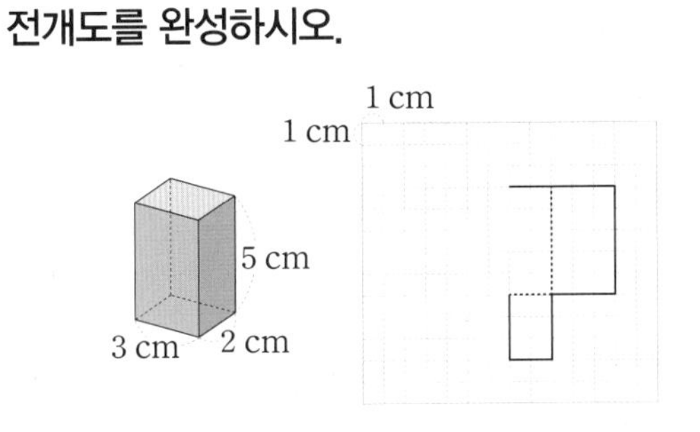

03 전개도를 접어서 각기둥을 만들었습니다. □ 안에 알맞은 수를 써넣으시오.

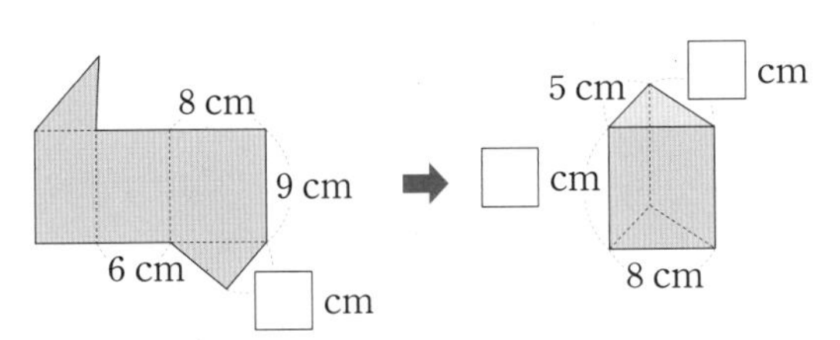

04 전개도를 접었을 때 만들어지는 입체도형의 모서리의 수와 꼭짓점의 수의 합을 구하시오.

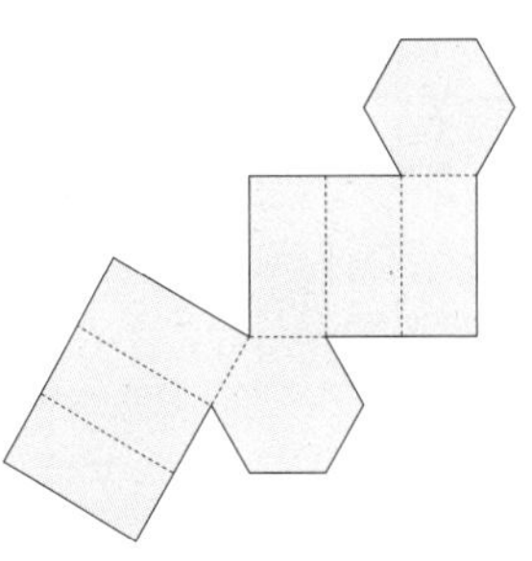

05 전개도를 접어 오각기둥을 만들 때 선분 ㄱㅎ과 맞닿는 선분을 찾아 쓰시오.

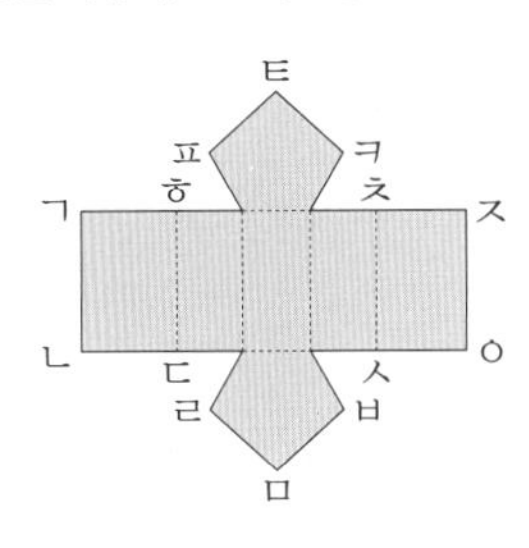

06 전개도를 접어 사각기둥을 만들 때 점 ㅇ과 맞닿는 점, 선분 ㅎㅍ과 맞닿는 선분을 차례대로 쓰시오.

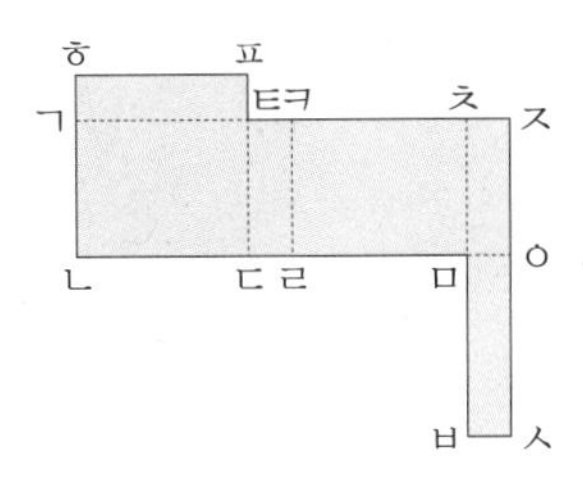

교과서 + 익힘책 응용 유형

07 사각기둥의 전개도가 아닌 것은 어느 것입니까?

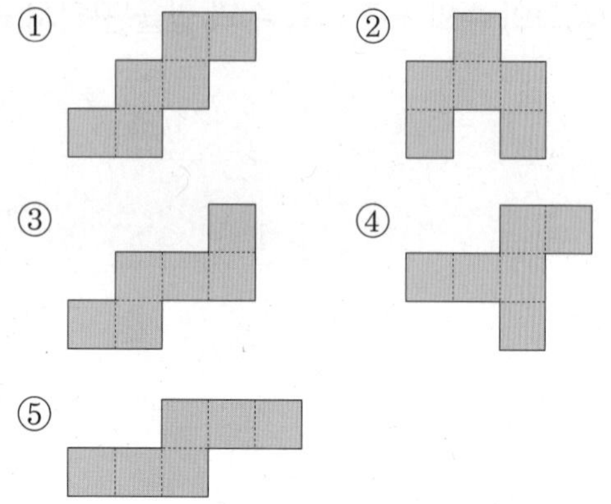

08 전개도를 접었을 때 점 ㄷ과 만나는 점을 모두 쓰시오.

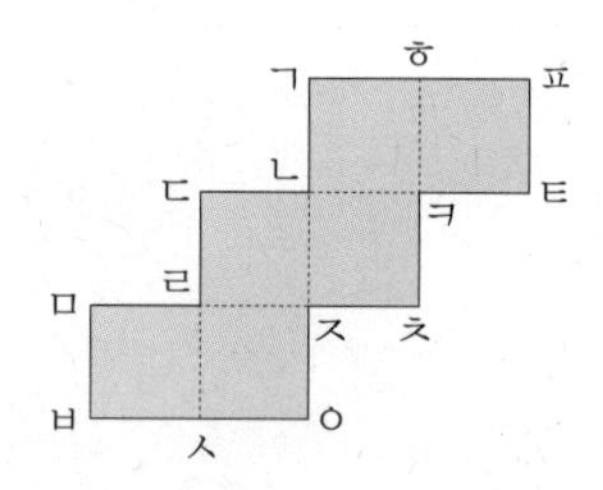

09 전개도를 접었을 때 만들어지는 각기둥의 모든 모서리의 길이의 합은 몇 cm인지 구하시오. (단, 밑면은 정삼각형입니다.)

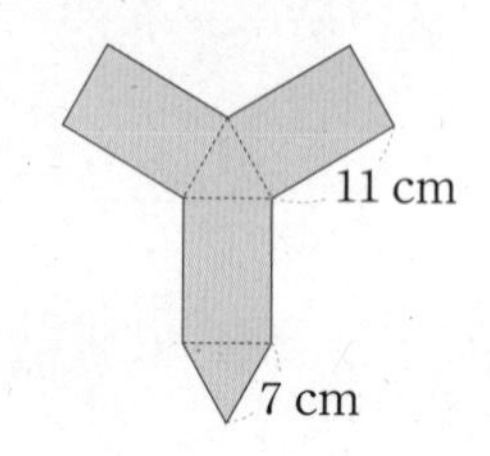

10 전개도를 접었을 때 만들어지는 각기둥에 대하여 빈 곳에 알맞은 것을 써넣으시오.

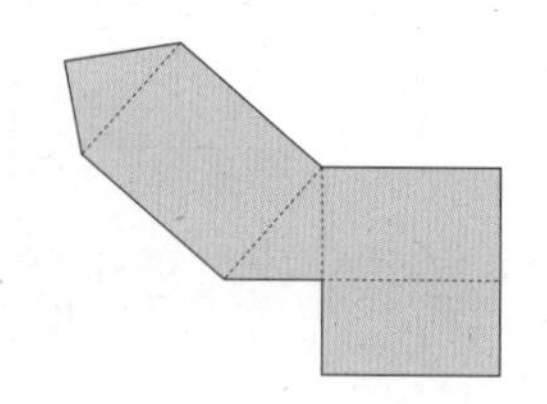

각기둥의 이름	면의 수(개)	모서리의 수(개)	꼭짓점의 수(개)

11 모서리의 길이가 모두 같은 사각기둥의 전개도입니다. 전개도의 둘레가 168 cm일 때 이 사각기둥의 한 모서리의 길이는 몇 cm인지 구하시오.

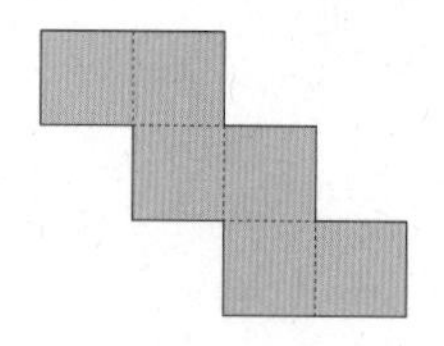

12 전개도를 접었을 때 만들어지는 입체도형의 모든 모서리의 길이의 합은 몇 cm인지 구하시오.

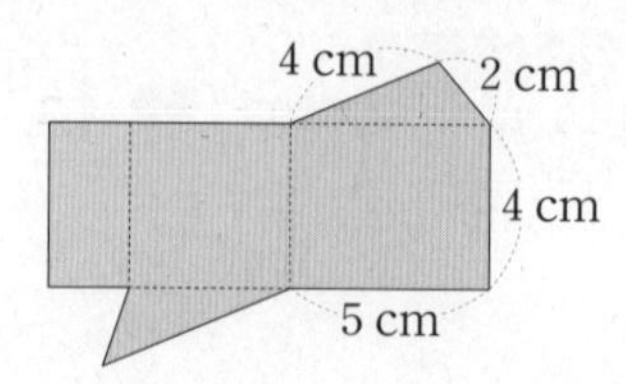

잘 틀리는 유형

13 오각기둥의 면 위에 선분을 그었습니다. 전개도에 선분을 알맞게 그어 보시오.

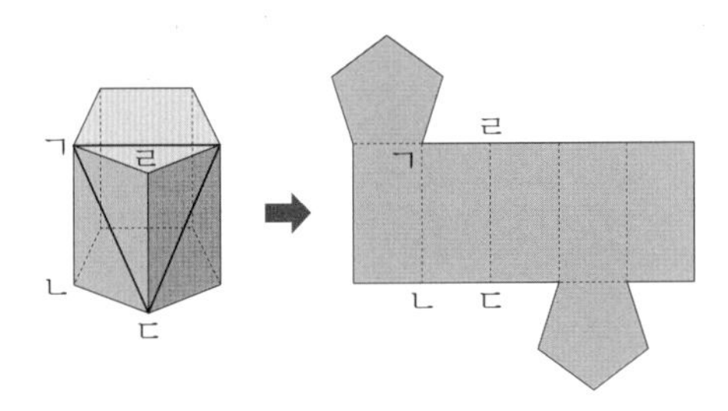

14 사각기둥의 면 위에 선분을 그었습니다. 전개도에 선분을 알맞게 그어 보시오.

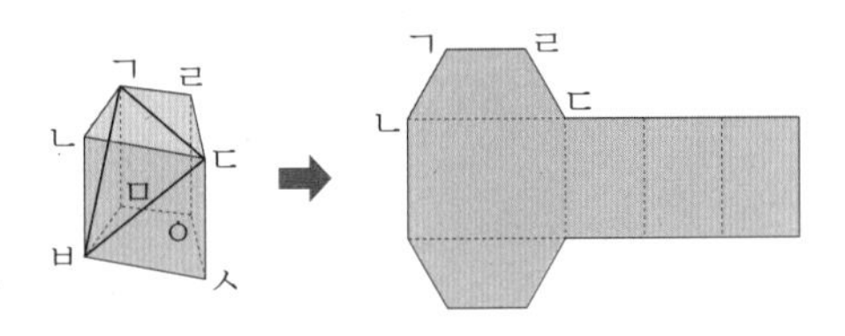

15 밑면이 사다리꼴인 사각기둥의 전개도에서 면 ㅌㅍㅊㅋ의 넓이가 $18\ cm^2$일 때, 전개도의 둘레는 몇 cm인지 구하시오.

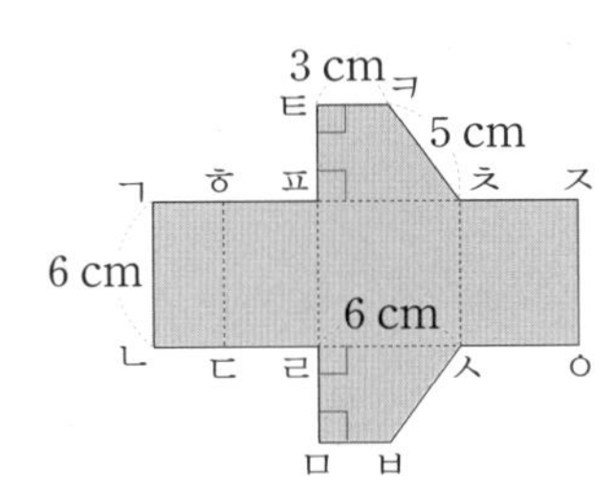

16 전개도를 접었을 때 만들어지는 입체도형의 모든 모서리의 길이의 합은 몇 cm인지 구하시오.

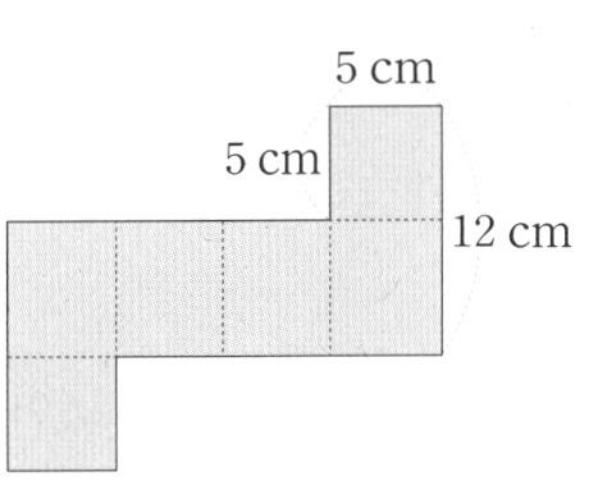

17 각기둥의 전개도로 주사위를 만들려고 합니다. ㉠, ㉡, ㉢에 알맞은 눈의 수를 각각 구하시오. (단, 주사위의 마주 보는 면의 눈의 수의 합은 7입니다.)

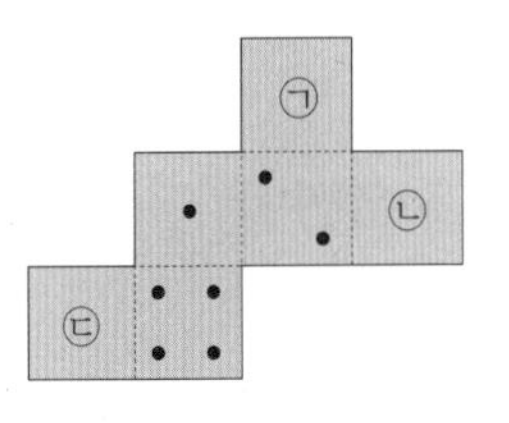

18 전개도에서 선분 ㄴㅂ의 길이는 몇 cm인지 구하시오.

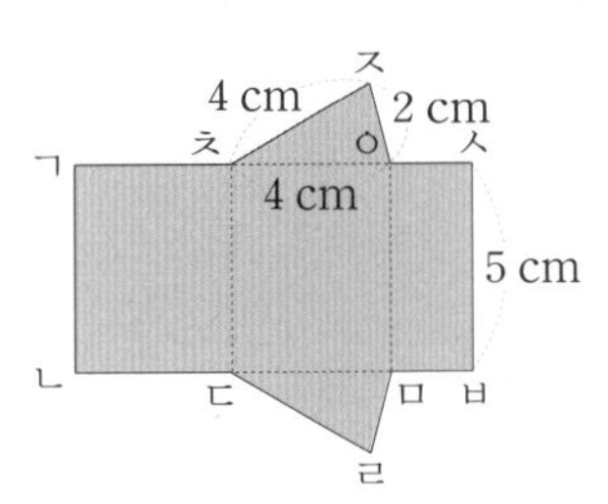

06 각뿔

우리는 앞 단원에서 각기둥을 알아보았습니다. 위와 아래에 있는 면이 서로 평행하고 합동인 다각형으로 이루어진 입체도형을 각기둥이라고 하였습니다.

각기둥의 밑면의 모양이 삼각형, 사각형, 오각형……일 때 삼각기둥, 사각기둥, 오각기둥……이라고 합니다.

그렇다면 다음과 같이 밑에 놓인 면이 다각형이고 옆으로 둘러싼 면이 삼각형인 입체도형을 무엇이라고 할까요?

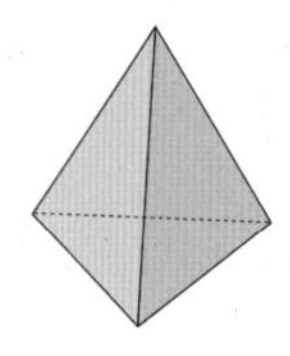
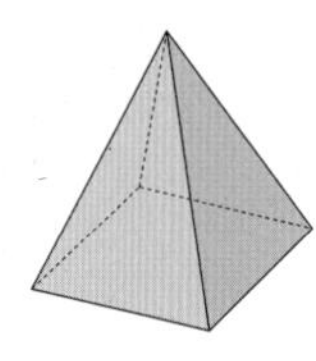
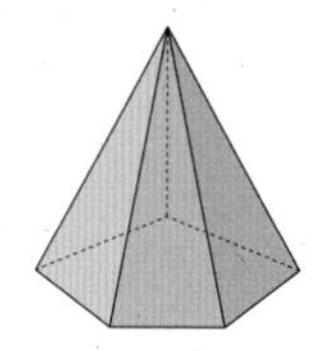
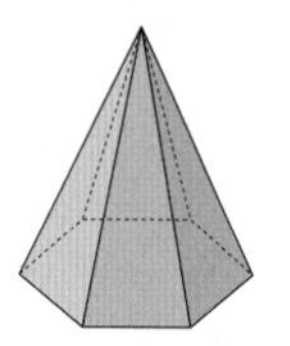

위와 같은 입체도형을 **각뿔**이라고 합니다.

각뿔은 밑면의 모양이 삼각형, 사각형, 오각형……일 때 삼각뿔, 사각뿔, 오각뿔……이라고 합니다.

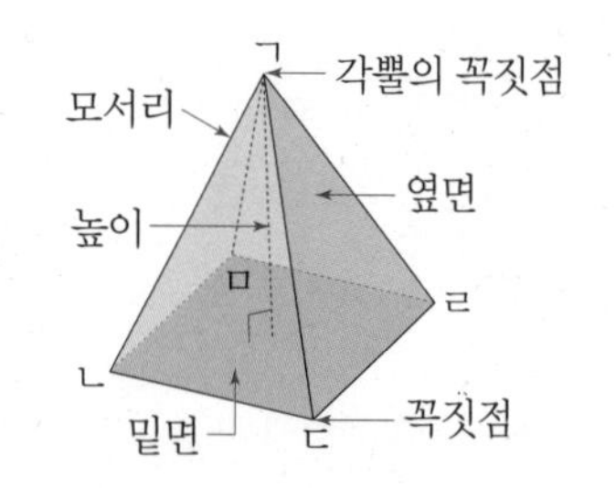

각뿔에서 면 ㄴㄷㄹㅁ과 같은 면을 **밑면**이라 하고, 면 ㄱㄴㄷ, 면 ㄱㄷㄹ, 면 ㄱㅁㄹ, 면 ㄱㄴㅁ과 같이 밑면과 만나는 면을 **옆면**이라고 합니다. 각뿔의 옆면은 모두 삼각형입니다.

각뿔에서 면과 면이 만나는 선분을 **모서리**, 모서리와 모서리가 만나는 점을 **꼭짓점**이라고 합니다. 꼭짓점 중에서도 옆면이 모두 만나는 점을 **각뿔의 꼭짓점**이라 하고, 각뿔의 꼭짓점에서 밑면에 수직인 선분의 길이를 **높이**라고 합니다.

여기서 각뿔의 꼭짓점, 면, 모서리의 수를 알아봅시다. 빈 곳에 알맞은 수를 써넣으시오.

도형	삼각뿔	사각뿔	오각뿔	육각뿔
꼭짓점의 수(개)	4	5		7
면의 수(개)	4	5	6	
모서리의 수(개)		8	10	12

답 (위에서부터) 6, 7, 6

구분	☆각뿔
밑면의 모양	☆각형
밑면의 수(개)	1
옆면의 모양	삼각형
옆면의 수(개)	☆
밑면의 변의 수(개)	☆
면의 수(개)	☆+1
꼭짓점의 수(개)	☆+1
모서리의 수(개)	☆×2

풍산자 비법

★각뿔 ⇨ 면의 수는 ★+1, 꼭짓점의 수는 ★+1, 모서리의 수는 ★×2

교과서 + 익힘책 유형

01 각뿔을 보고 밑면의 모양과 각뿔의 이름을 쓰시오.

각뿔			
밑면의 모양			
각뿔의 이름			

02 각뿔을 보고 표를 완성하시오.

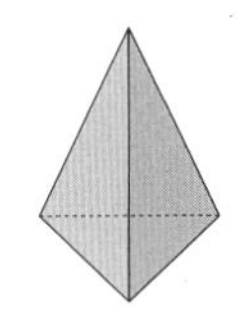 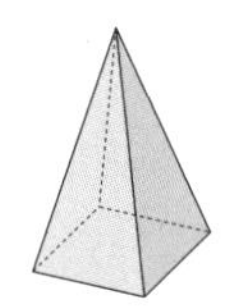 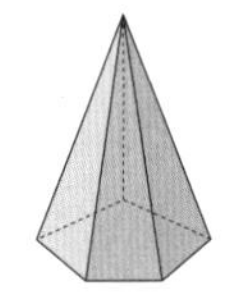 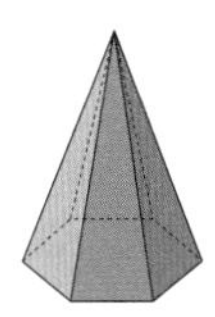

도형	밑면의 변의 수(개)	꼭짓점의 수(개)	면의 수(개)	모서리의 수(개)
삼각뿔				
사각뿔				
오각뿔				
육각뿔				

03 각뿔에 대한 설명으로 옳지 않은 것을 찾아 기호를 쓰시오.

㉠ 각뿔의 밑면은 1개입니다.
㉡ 각뿔의 옆면은 모두 삼각형입니다.
㉢ 각뿔에서 옆면과 옆면이 만나는 선분은 높이입니다.
㉣ 각뿔에서 모서리와 모서리가 만나는 점은 꼭짓점입니다.

04 보기에서 알맞은 것을 골라 □ 안에 써넣으시오.

보기
모서리, 밑면, 각뿔의 꼭짓점, 높이, 옆면

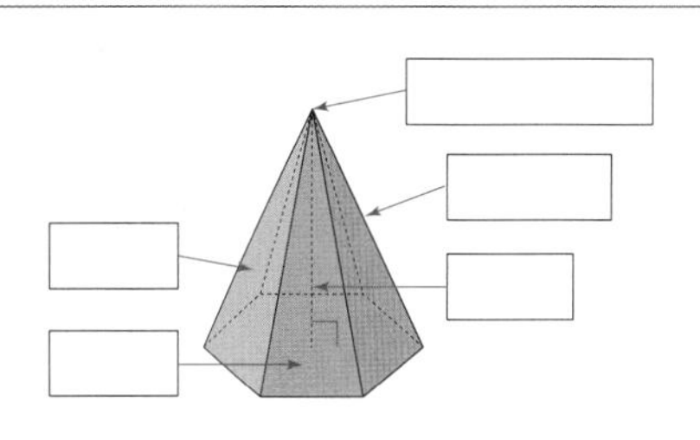

05 옆면이 9개인 각뿔의 밑면의 모양은 어떤 도형인지 구하시오.

06 각뿔의 높이는 몇 cm인지 구하시오.

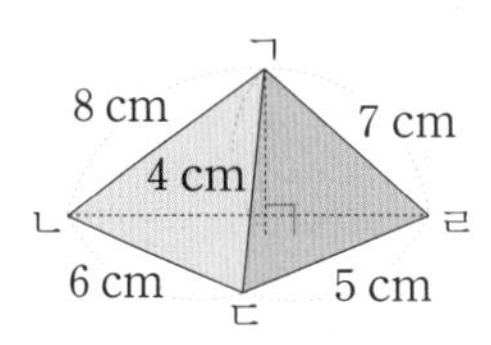

교과서 + 익힘책 응용 유형

07 각뿔의 옆면은 모두 합동인 이등변삼각형일 때 각뿔의 모든 모서리의 길이의 합은 몇 cm인지 구하시오.

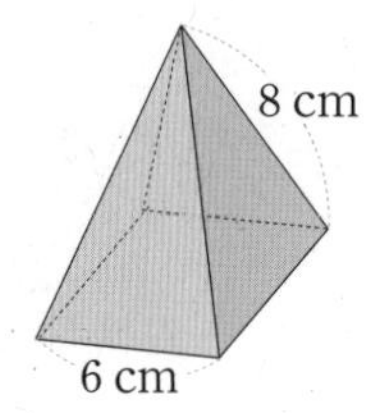

08 모서리가 12개인 각기둥과 꼭짓점이 11개인 각뿔의 면의 수의 합을 구하시오.

09 조건을 만족하는 입체도형의 이름을 쓰시오.

조건
- 밑면은 1개이고 다각형입니다.
- 옆면은 모두 이등변삼각형입니다.
- 모서리는 18개입니다.

10 구각뿔의 모서리의 수와 십삼각뿔의 꼭짓점의 수의 합을 구하시오.

11 십일각뿔에 대한 설명으로 옳은 것을 모두 고르시오.

① 밑면은 1개이고 모양은 십일각형입니다.
② 옆면은 10개이고 모양은 삼각형입니다.
③ 면은 12개입니다.
④ 모서리는 22개입니다.
⑤ 꼭짓점은 11개입니다.

12 밑면의 모양이 그림과 같은 각뿔이 있습니다. 빈 곳에 알맞은 수를 써넣으시오.

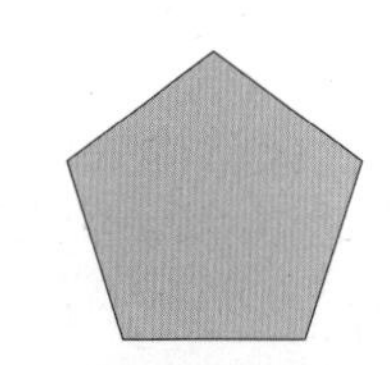

면의 수(개)	모서리의 수(개)	꼭짓점의 수(개)

13 왼쪽과 같은 정칠각형 1개와 오른쪽과 같은 이등변삼각형 7개로 각뿔을 만들었습니다. 만든 각뿔의 모든 모서리의 길이의 합은 몇 cm인지 구하시오.

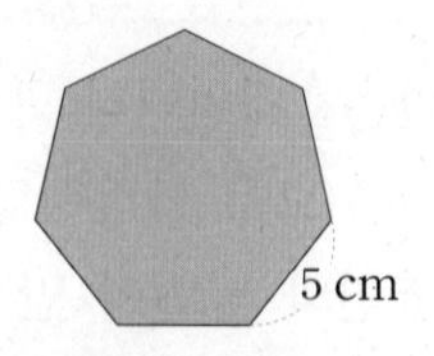

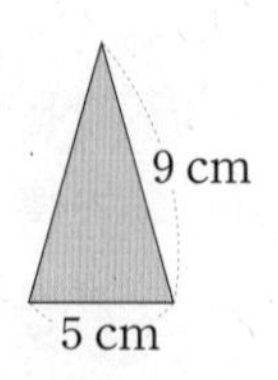

잘 틀리는 유형

14 면이 17개인 각기둥과 모서리가 20개인 각뿔이 있습니다. 이 각기둥과 각뿔의 꼭짓점의 수의 합을 구하시오.

15 어떤 각뿔의 옆면의 수와 밑면의 수의 차는 8입니다. 이 각뿔의 이름과 꼭짓점의 수를 차례대로 구하시오.

16 모든 옆면의 모양이 그림과 같은 육각뿔의 모든 모서리의 길이의 합을 구하시오.

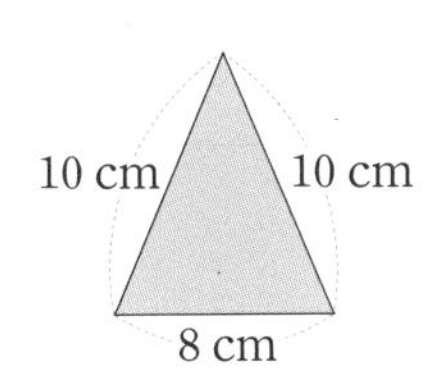

17 각뿔에 대한 설명으로 옳은 것은 어느 것입니까?

① 밑면은 2개입니다.
② 높이는 각뿔의 꼭짓점에서 밑면에 수직인 선분의 길이입니다.
③ 모서리는 꼭짓점과 꼭짓점이 만나는 선입니다.
④ 꼭짓점은 면과 면이 만나는 점입니다.
⑤ 꼭짓점은 2개입니다.

18 면의 수, 모서리의 수, 꼭짓점의 수의 합이 30인 각뿔의 이름을 쓰시오.

19 모든 옆면의 모양이 그림과 같은 각뿔의 모든 모서리의 길이의 합이 72 cm입니다. 이 각뿔의 밑면의 모양은 어떤 도형인지 구하시오.

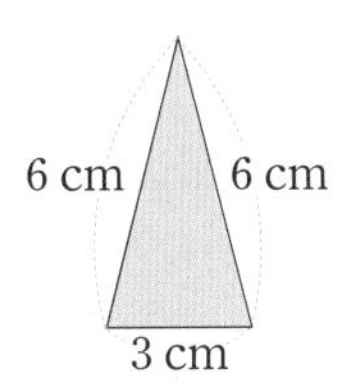

입체도형의 종류에는 무엇이 있을까요?

지금까지 우리는 각기둥과 각뿔을 배웠습니다.
입체도형에는 각기둥과 각뿔만 있을까요?
그럴리가요.
각뿔대, 원기둥, 원뿔, 원뿔대, 구와 같은 다양한 입체도형이 있답니다.
[수학 6-2]와 중학교에서 자세히 배우지만 여기서 살짝만 알아볼까요?
One, two, three~ Let's go!

입체도형에는 어떤 도형이 있을까요?

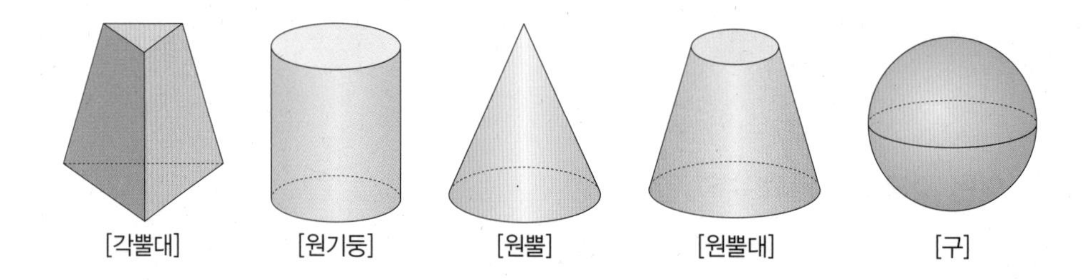

각뿔을 밑면에 평행한 평면으로 잘라서 생기는 두 입체도형 중 각뿔이 아닌 쪽의 입체도형을 각뿔대라고 합니다. 밑면의 모양에 따라 삼각뿔대, 사각뿔대, 오각뿔대……라고 합니다.
위와 아래에 있는 면이 서로 평행하고 합동인 원으로 이루어진 입체도형을 원기둥이라고 합니다.
평평한 면이 원이고 옆을 둘러싼 면이 굽은 면인 뿔 모양의 입체도형을 원뿔이라고 합니다.
원뿔을 밑면에 평행한 평면으로 잘라서 생기는 두 입체도형 중 원뿔이 아닌 쪽의 입체도형을 원뿔대라고 합니다.
공 모양의 입체도형을 구라고 합니다.

입체도형의 이름을 맞춰 볼까요?

다음 입체도형 모양의 물건을 보고, 알맞은 입체도형의 이름을 써 봅시다.

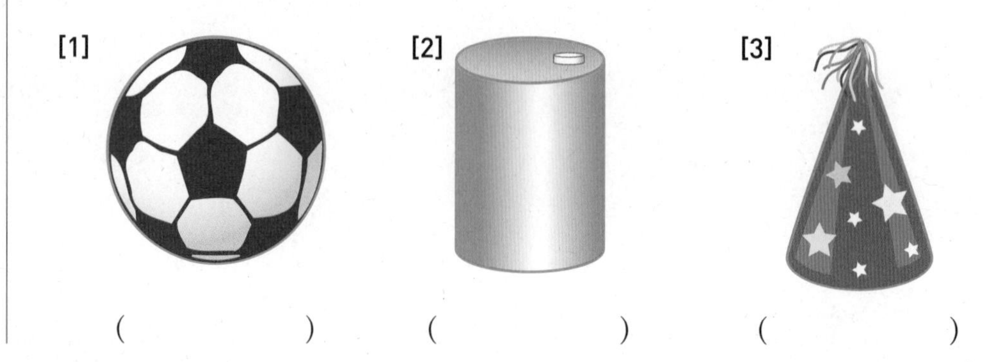

( ) ( ) ( )

소수의 나눗셈

공부할 내용	공부한 날
07 (소수)÷(자연수) (1)	월 일
08 (소수)÷(자연수) (2)	월 일
09 (소수)÷(자연수) (3)	월 일
10 (소수)÷(자연수) (4)	월 일
11 (자연수)÷(자연수)와 소수점 위치	월 일

07 (소수)÷(자연수) (1)

우리는 앞 단원에서 $\frac{9}{7}\div3$, $\frac{3}{8}\div2$와 같은 (분수)÷(자연수)를 계산하는 방법을 알아보았습니다.

$$\frac{9}{7}\div3=\frac{9\div3}{7}=\frac{3}{7} \qquad \frac{3}{8}\div2=\frac{6}{16}\div2=\frac{6\div2}{16}=\frac{3}{16}$$

그렇다면 26.4÷2, 2.64÷2와 같은 (소수)÷(자연수)는 어떻게 계산할까요? (소수)÷(자연수)는 자연수의 나눗셈을 이용하여 계산한 후 소수점을 표시하여 다음과 같이 계산할 수 있습니다.

- 26.4÷2 ⇨ 264÷2를 계산한 후 몫을 소수 첫째 자리로 나타냅니다.
  264÷2=132이므로 26.4÷2=13.2
- 2.64÷2 ⇨ 264÷2를 계산한 후 몫을 소수 둘째 자리로 나타냅니다.
  264÷2=132이므로 2.64÷2=1.32

나누는 수가 같을 때 나누어지는 수가 $\frac{1}{10}$배가 되면 몫도 $\frac{1}{10}$배가 되고, 나누어지는 수가 $\frac{1}{100}$배가 되면 몫도 $\frac{1}{100}$배가 됩니다.

즉, 몫의 소수점은 나누어지는 수의 소수점의 자리에 맞추어 찍습니다.

여기서 3.6÷3과 6.39÷3이 어떻게 계산되는지 그림을 통해서도 알아봅시다.

□ 안에 알맞은 수를 써넣으시오.

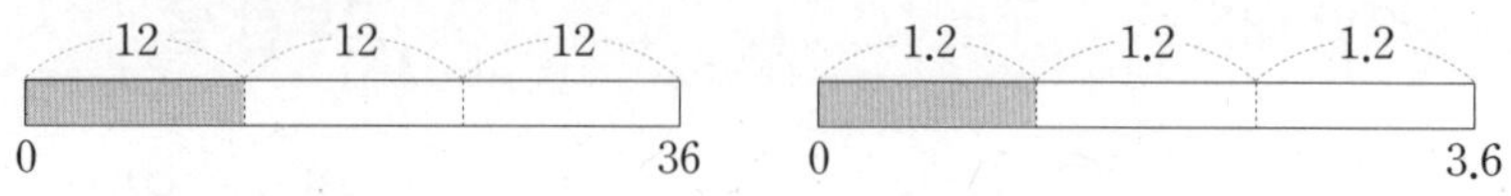

3.6÷3 ⇨ 3.6은 36의 $\frac{1}{10}$배이므로 36÷3의 몫인 12의 $\frac{1}{10}$배인 1.2가 됩니다.

213 213 213
0 639
2.13 2.13 2.13
0 6.39

6.39÷3 ⇨ 6.39는 639의 $\frac{1}{100}$배이므로 639÷3의 몫인 213의 $\frac{1}{100}$배인 □이 됩니다.

답 2.13

풍산자 비법

나누는 수가 같을 때

❶ 나누어지는 수가 $\frac{1}{10}$배 ⇨ 몫도 $\frac{1}{10}$배 ⇨ 소수점이 왼쪽으로 한 칸 이동한다.

❷ 나누어지는 수가 $\frac{1}{100}$배 ⇨ 몫도 $\frac{1}{100}$배 ⇨ 소수점이 왼쪽으로 두 칸 이동한다.

교과서 + 익힘책 유형

01 설명을 읽고 □ 안에 알맞은 수를 써넣으시오.

64.2 cm인 끈을 2명에게 똑같이 나누어 주려고 합니다.
64.2 cm는 642 mm입니다.
$642 \div 2 = 321$이므로 한 사람이 받는 끈은 □ mm, 즉 □ cm입니다.

02 조건을 만족하는 나눗셈식을 만들고 몫을 구하시오.

조건
- $684 \div 2$를 이용하여 풀 수 있습니다.
- 몫이 $684 \div 2$의 $\frac{1}{100}$배입니다.

03 □ 안에 알맞은 수를 써넣으시오.

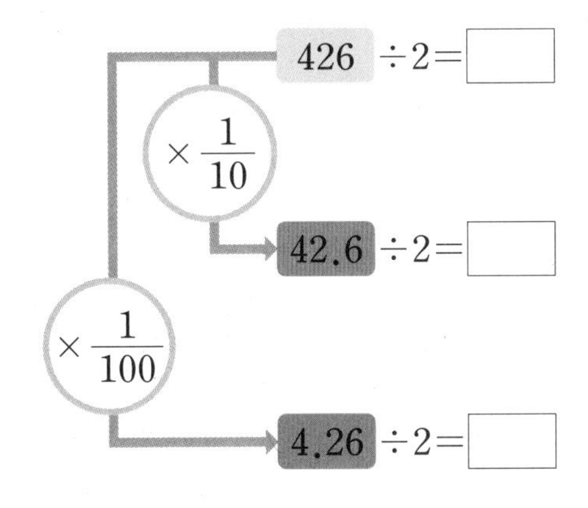

04 그림을 보고 □ 안에 알맞은 수를 써넣으시오.

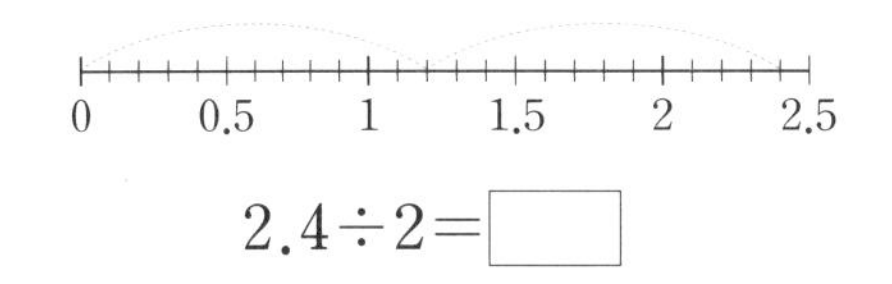

$2.4 \div 2 =$ □

05 큰 수를 작은 수로 나눈 몫을 빈 곳에 써넣으시오.

93.6	3

06 $4884 \div 4$를 이용하여 $48.84 \div 4$를 계산하는 과정입니다. □ 안에 알맞은 수를 써넣으시오.

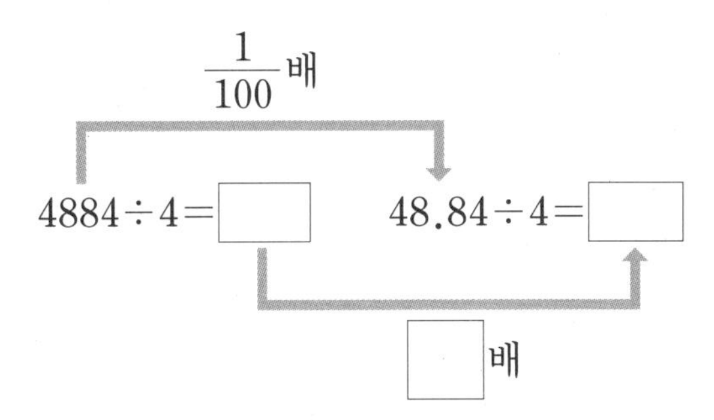

교과서 + 익힘책 응용 유형

07 넓이가 18.9 cm^2인 직사각형의 가로가 9 cm일 때, 세로는 몇 cm인지 구하시오.

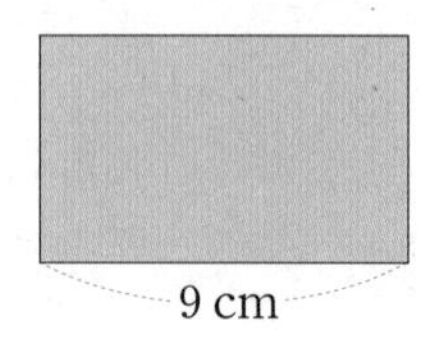

08 몫의 크기를 비교하여 ○ 안에 >, =, <를 알맞게 써넣으시오.

(1) $16.8 \div 8$ ○ $24.6 \div 6$

(2) $10.55 \div 5$ ○ $84.62 \div 2$

09 정사각형의 둘레는 36.8 cm입니다. 이 정사각형의 한 변의 길이는 몇 cm인지 구하시오.

10 지은이는 상자 4개를 묶기 위해 리본 248 cm를 4개로 똑같이 나누었습니다. 한나도 지은이와 같은 방법으로 리본 24.8 m를 사용하여 상자 4개를 묶으려고 합니다.
한나가 상자 한 개를 묶기 위해 사용한 리본은 몇 m인지 구하시오.

11 넓이가 32.8 cm^2인 직사각형을 8등분하였습니다. 색칠한 부분의 넓이를 구하시오.

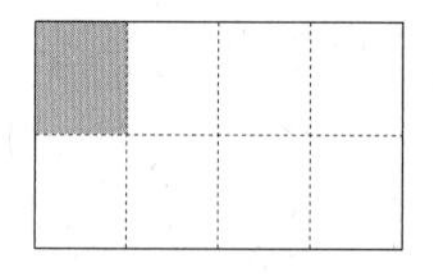

12 포도 주스 4.8 L를 4개의 병에 똑같이 나누어 담았습니다. 병 한 개에 담은 포도 주스는 몇 L인지 구하시오.

13 □ 안에 알맞은 수를 써넣으시오.

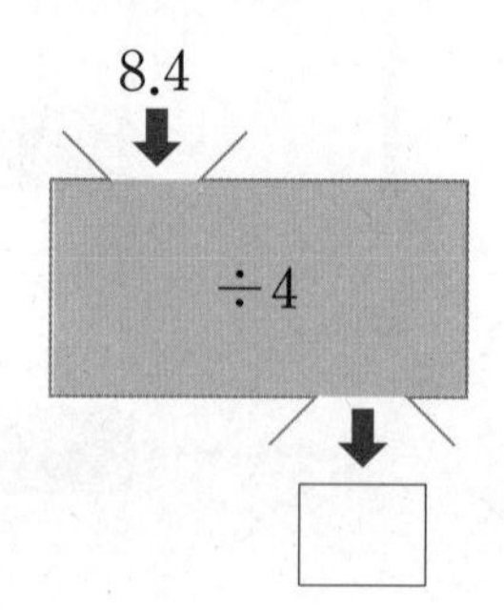

잘 틀리는 유형

14 정육각형의 둘레는 42.6 cm입니다. 이 정육각형의 한 변의 길이는 몇 cm인지 구하시오.

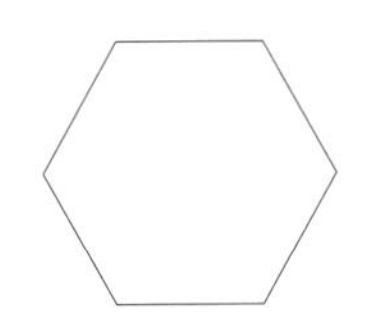

15 넓이가 30.5 cm^2인 평행사변형이 있습니다. 이 평행사변형의 밑변의 길이가 5 cm일 때, 높이는 몇 cm인지 구하시오.

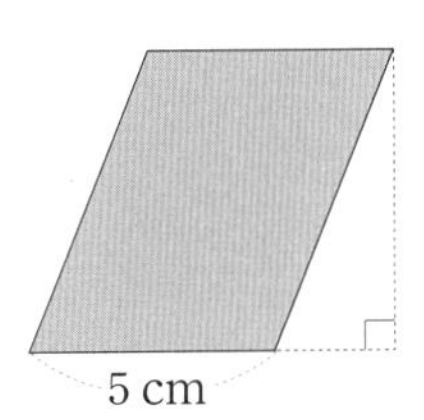

16 어떤 수에 4를 곱했더니 248.8가 되었습니다. 어떤 수를 2로 나누었을 때의 몫을 구하시오.

17 몫이 큰 것부터 차례대로 기호를 쓰시오.

㉠ 24.8÷8	㉡ 42.26÷2
㉢ 20.5÷5	㉣ 12.6÷6

18 빈 곳에 알맞은 수를 써넣으시오.

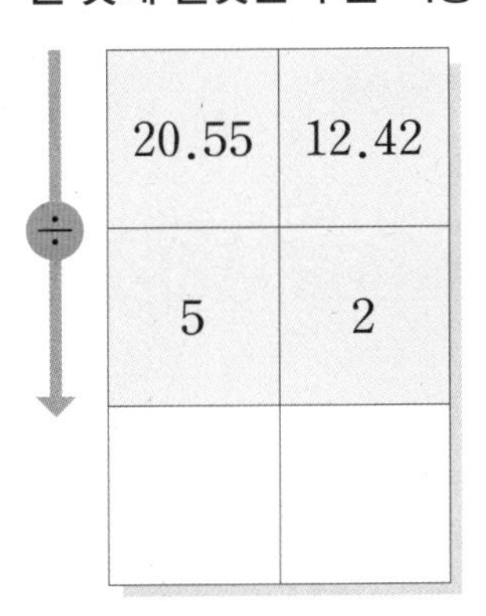

19 빈 곳에 알맞은 수를 써넣으시오.

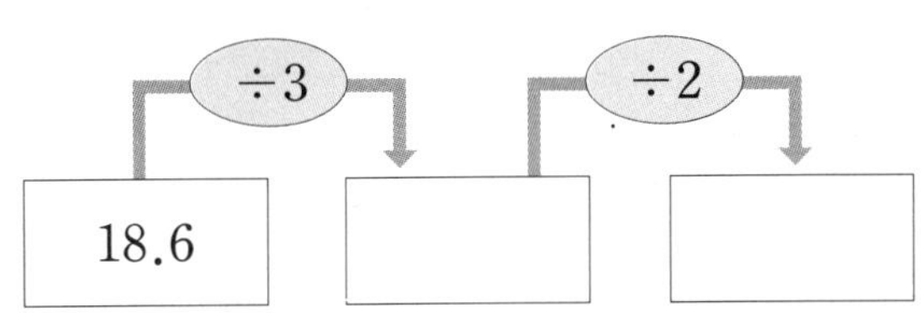

08 (소수)÷(자연수) (2)

우리는 앞 단원에서 64.4÷2, 6.44÷2와 같은 (소수)÷(자연수)를 계산하는 방법을 알아보았습니다. 이런 계산은 각 자리에서 나누어떨어지는 나눗셈이었고, 자연수의 나눗셈을 이용하여 계산하였습니다.

644÷2=322
⇨ 64.4÷2=32.2
　6.44÷2=3.22

그렇다면 7.68÷3과 같이 각 자리에서 나누어떨어지지 않는 (소수)÷(자연수)는 어떻게 계산할까요?
각 자리에서 나누어떨어지지 않는 (소수)÷(자연수)는 분수의 나눗셈으로 바꾸어 계산하거나 세로로 계산할 수 있습니다.

[방법 1] 분수로 바꾸어 계산하기

$$7.68\div3=\frac{768}{100}\div3=\frac{768\div3}{100}=\frac{256}{100}=2.56$$

[방법 2] 세로로 계산하기

```
    2 5 6             2.5 6
3 ) 7 6 8    ⇨   3 ) 7.6 8
    6                 6
    1 6               1 6
    1 5               1 5
      1 8               1 8
      1 8               1 8
        0                 0
```

세로로 계산할 때 몫의 소수점은 나누어지는 수의 소수점을 올려 찍습니다.

여기서 5784÷4를 이용하여 57.84÷4를 계산하는 방법을 알아봅시다. □ 안에 알맞은 수를 써넣으시오.

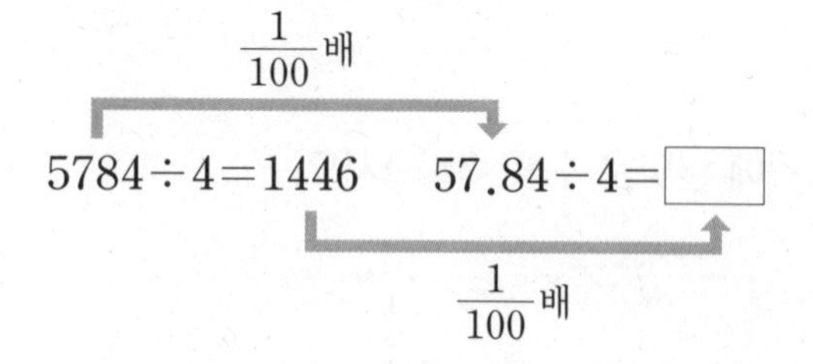

57.84는 5784의 $\frac{1}{100}$배이므로 몫도 1446의 $\frac{1}{100}$배입니다.

답 14.46

나누는 수가 같고 나누어지는 수가 $\frac{1}{100}$배일 때 몫도 $\frac{1}{100}$배입니다.

풍산자 비법

(소수)÷(자연수)에서 몫의 소수점 ⇨ 나누어지는 수의 소수점을 올려 찍는다.

교과서 + 익힘책 유형

01 $69.54 \div 3$을 보기와 같은 방법으로 계산하시오.

보기

$$79.74 \div 3 = \frac{7974}{100} \div 3 = \frac{7974 \div 3}{100} = \frac{2658}{100} = 26.58$$

02 계산된 식에 알맞게 소수점을 찍어 보시오.

```
      6□1□4
   ┌─────────
 6 ) 3 6.8 4
     3 6
     ───────
         8
         6
     ───────
         2 4
         2 4
     ───────
           0
```

03 세로로 계산하시오.

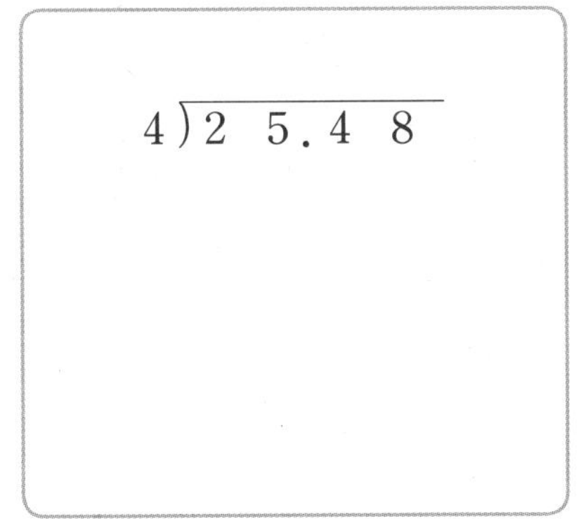

04 몫의 크기를 비교하여 ○ 안에 $>$, $=$, $<$를 알맞게 써넣으세요.

$18.72 \div 8$ ○ $187.2 \div 8$

05 큰 수를 작은 수로 나눈 몫을 빈 곳에 써넣으시오.

20.7	9

06 넓이가 $10.8\ \mathrm{cm}^2$인 직사각형의 가로가 $3\ \mathrm{cm}$일 때, 세로는 몇 cm인지 구하시오.

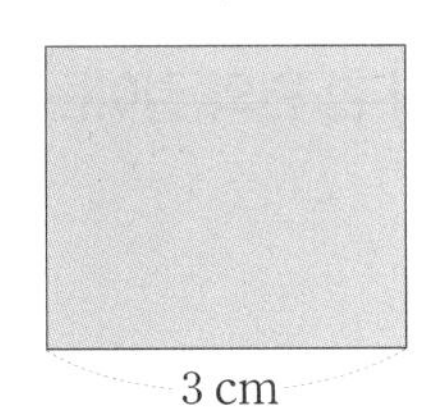

교과서 + 익힘책 응용 유형

07 계산 결과를 비교하여 ○ 안에 $>$, $=$, $<$를 알맞게 써넣으시오.

(1) $19.2 \div 8$ ○ $26.4 \div 6$

(2) $71.84 \div 4$ ○ $62.56 \div 2$

08 넓이가 $25.68\ \text{cm}^2$인 직사각형을 6등분하였습니다. 색칠한 부분의 넓이를 구하시오.

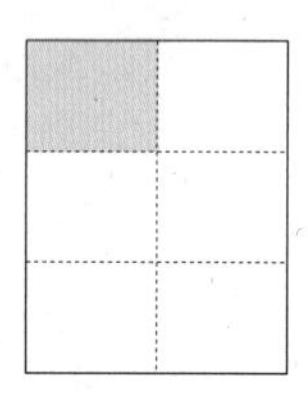

09 둘레가 19.5 cm인 정오각형이 있습니다. 이 정오각형의 한 변의 길이는 몇 cm인지 구하시오.

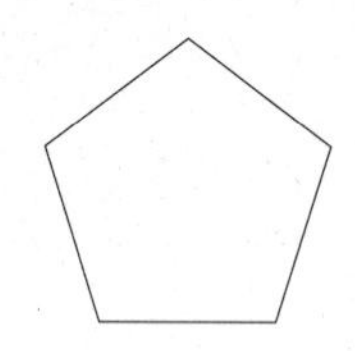

10 나눗셈의 몫이 큰 것의 기호를 쓰시오.

㉠ $11.2 \div 4$ ㉡ $13.26 \div 6$

11 빈 곳에 알맞은 수를 써넣으시오.

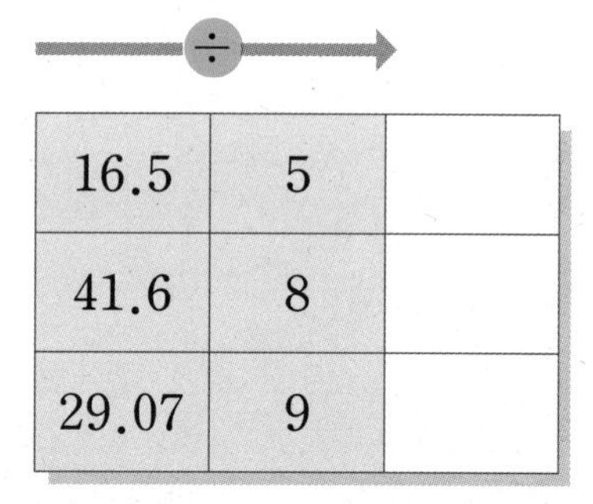

16.5	5	
41.6	8	
29.07	9	

12 어떤 수에 2를 곱했더니 112.2가 되었습니다. 어떤 수를 3으로 나누었을 때의 몫을 구하시오.

잘 틀리는 유형

13 둘레가 44.4 cm인 정육각형이 있습니다. 이 정육각형의 한 변의 길이는 몇 cm인지 구하시오.

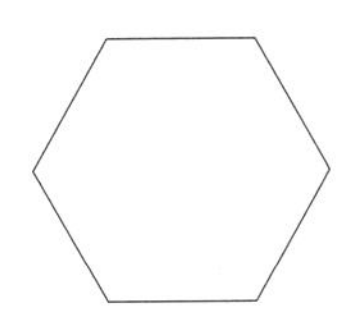

14 넓이가 $17.76\ \text{cm}^2$인 삼각형이 있습니다. 길이가 6 cm인 변을 밑변이라고 할 때, 이 삼각형의 높이는 몇 cm인지 구하시오.

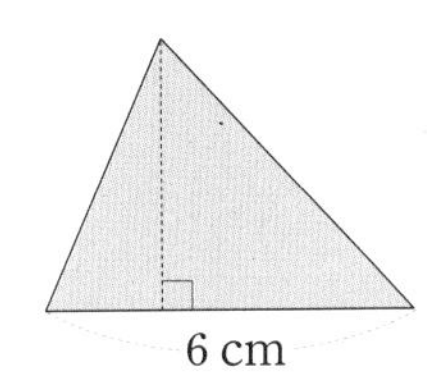

15 가로 3 m, 세로 2 m인 직사각형 모양의 벽이 있습니다. 파란색 페인트 19.8 L를 사용하여 벽을 칠했을 때, $1\ \text{m}^2$의 벽을 칠하는 데 사용한 페인트는 몇 L인지 구하시오.

16 어떤 수에 5를 곱했더니 220.5가 되었습니다. 어떤 수를 7로 나누었을 때의 몫을 구하시오.

17 빈 곳에 알맞은 수를 써넣으시오.

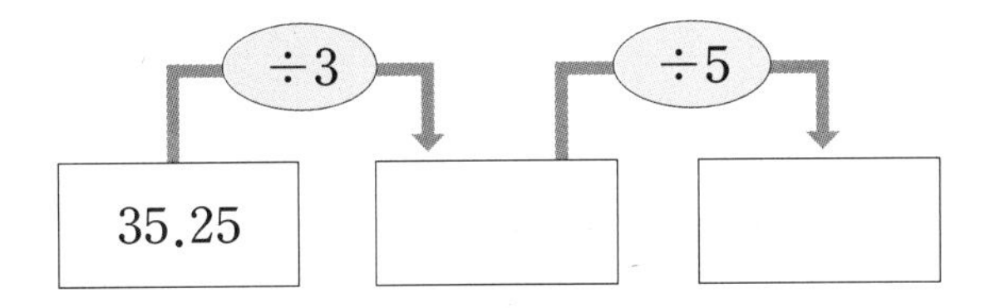

18 4장의 수 카드를 한 번씩만 사용하여 몫이 가장 큰 나눗셈식을 만들고 계산하시오.

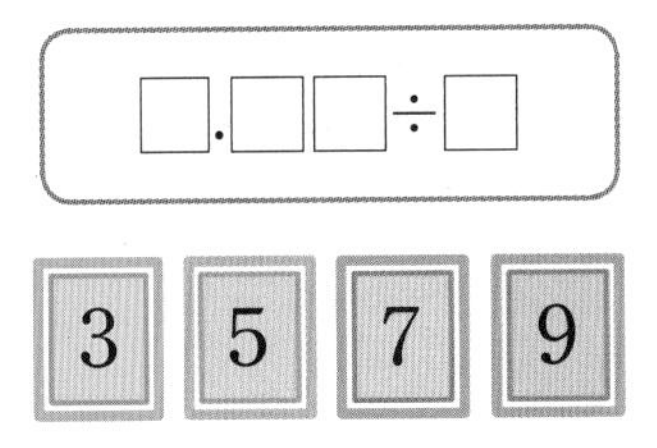

(소수)÷(자연수) (3)

우리는 앞 단원에서 7.38÷6과 같이 각 자리에서 나누어떨어지지 않는 (소수)÷(자연수)를 계산하는 방법을 알아보았습니다. 이런 계산은 분수의 나눗셈으로 바꾸어 계산하거나 세로로 계산하였습니다.

```
    1.2 3
6 ) 7.3 8
    6
    1 3
    1 2
      1 8
      1 8
        0
```

그렇다면 6.24÷8과 같이 (소수)<(자연수)가 되어 몫이 1보다 작은 소수인 (소수)÷(자연수)는 어떻게 계산할까요?
몫이 1보다 작은 소수인 (소수)÷(자연수)는 분수의 나눗셈으로 바꾸어 계산하거나 세로로 계산할 수 있습니다. 세로로 계산할 때, 소수점을 올려 찍고 자연수 부분에 0을 씁니다.

[방법 1] 분수로 바꾸어 계산하기

$$6.24\div8=\frac{624}{100}\div8=\frac{624\div8}{100}=\frac{78}{100}=0.78$$

[방법 2] 세로로 계산하기

```
     7 8              0.7 8
8 ) 6 2 4   ⇨   8 ) 6.2 4
    5 6               5 6
      6 4               6 4
      6 4               6 4
        0                 0
```

나누어지는 수가 나누는 수보다 작으면 세로로 계산할 때 몫의 일의 자리에 0을 쓰고 소수점을 찍은 후 자연수의 나눗셈과 같은 방법으로 계산합니다.

즉, 몫이 1보다 작은 소수인 (소수)÷(자연수)의 몫의 자연수 부분은 0입니다.

여기서 3.2÷4가 어떻게 계산되는지 그림을 통해서도 알아봅시다. □ 안에 알맞은 수를 써넣으시오.

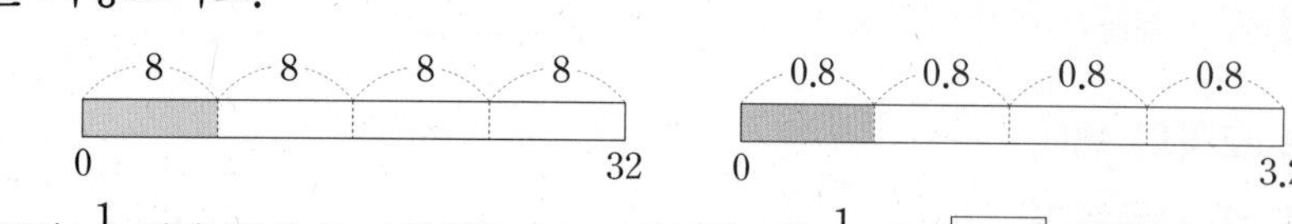

3.2는 32의 $\frac{1}{10}$배이므로 3.2÷4의 몫은 32÷4의 몫인 8의 $\frac{1}{10}$배인 □이 됩니다.

답 0.8

풍산자 비법 몫이 1보다 작은 소수인 (소수)÷(자연수)의 몫의 자연수 부분은 0이다.

교과서 + 익힘책 유형

01 1.44÷4를 보기와 같은 방법으로 계산하시오.

보기

$$1.92 \div 6 = \frac{192}{100} \div 6 = \frac{192 \div 6}{100} = \frac{32}{100} = 0.32$$

02 □ 안에 알맞은 수를 써넣으시오.

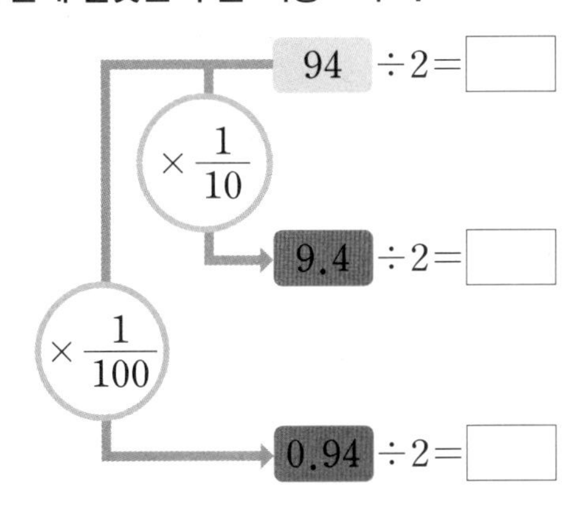

03 다음을 계산하시오.

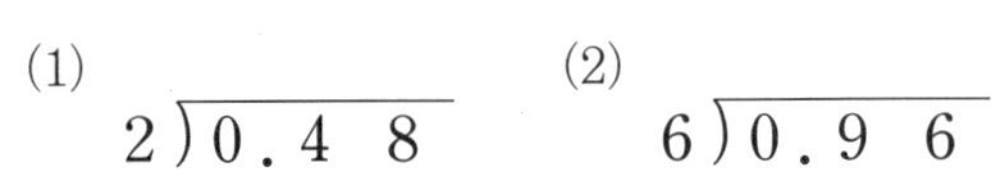

04 261÷3=87을 이용하여 다음 나눗셈의 몫을 구하시오.

2.61÷3

05 작은 수를 큰 수로 나눈 몫을 빈 곳에 써넣으시오.

4.68	9

06 1.08÷3에서 계산을 잘못한 곳을 찾아 바르게 계산하시오.

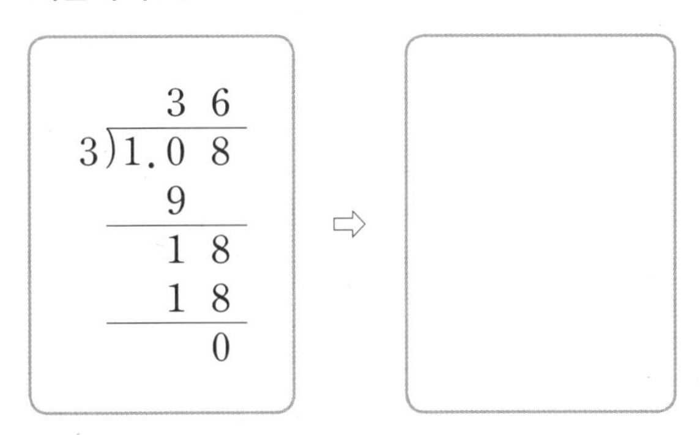

교과서 + 익힘책 응용 유형

07 1부터 9까지의 자연수 중에서 □ 안에 들어갈 수 있는 수를 모두 구하시오.

$4.55 \div 7 < 0.\square5$

08 계산 결과를 비교하여 ○ 안에 >, =, <를 알맞게 써넣으시오.

$1.76 \div 8$ ○ $2.52 \div 6$

09 □ 안에 알맞은 수를 써넣으시오.

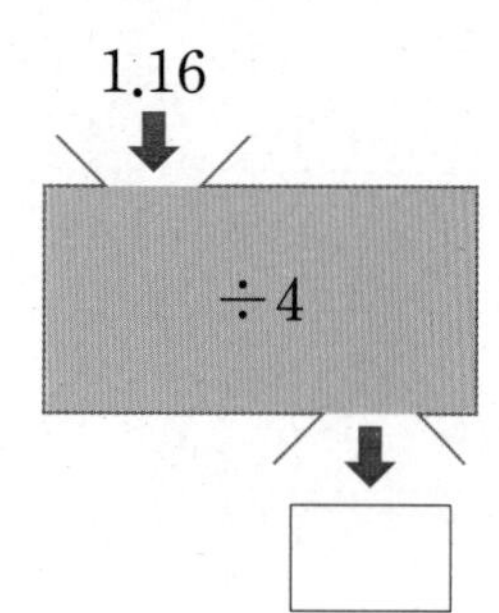

10 넓이가 $4.75\ \text{cm}^2$인 평행사변형이 있습니다. 이 평행사변형의 밑변의 길이가 5 cm일 때, 높이는 몇 cm인지 구하시오.

11 넓이가 $5.92\ \text{cm}^2$인 직사각형을 8등분하였습니다. 색칠한 부분의 넓이를 구하시오.

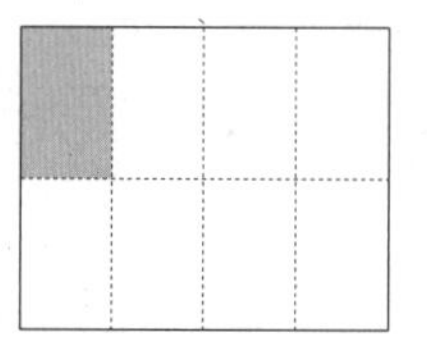

12 빈 곳에 알맞은 수를 써넣으시오.

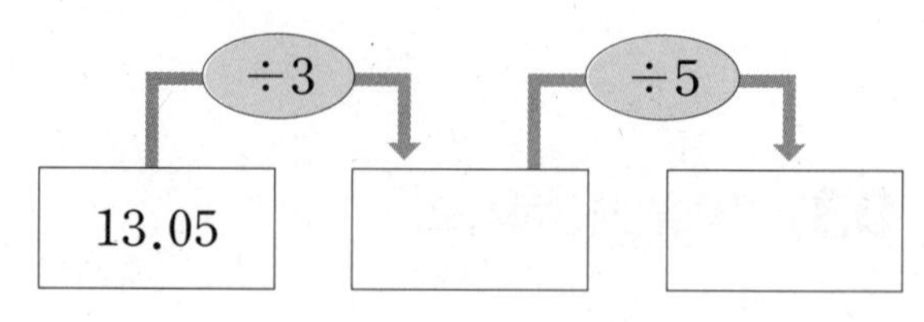

잘 틀리는 유형

13 정팔각형의 둘레는 2.56 m입니다. 이 정팔각형의 한 변의 길이는 몇 m인지 구하시오.

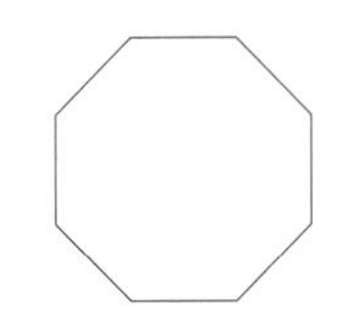

14 빈 곳에 알맞은 수를 써넣으시오.

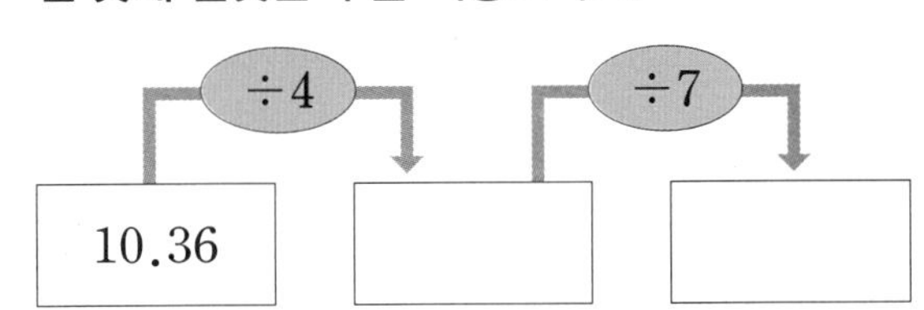

15 빈 곳에 알맞은 수를 써넣으시오.

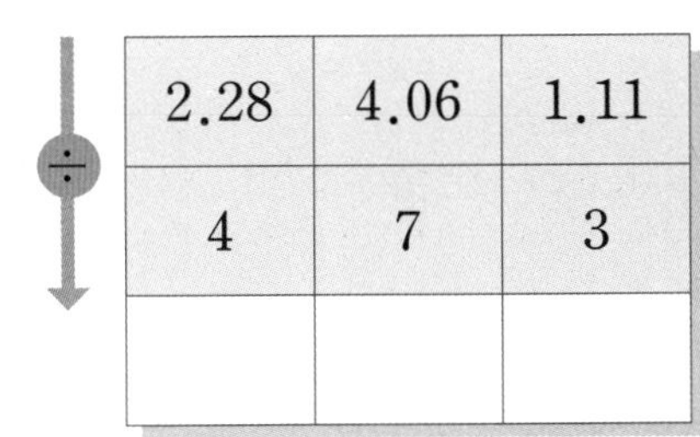

16 어떤 수에 9를 곱했더니 33.48이 되었습니다. 어떤 수를 4로 나누었을 때의 몫을 구하시오.

17 몫이 큰 것부터 차례대로 기호를 쓰시오.

㉠ 1.26÷6	㉡ 1.08÷4
㉢ 2.05÷5	㉣ 2.96÷8

18 네 수 1, 2, 6, 7 중 세 수를 골라 한 번씩만 사용하여 가장 작은 소수 두 자리 수를 만들고 남은 수로 나누었을 때 몫은 얼마인지 구하시오.

10 (소수)÷(자연수) (4)

우리는 앞 단원에서 5.52÷8과 같이 몫이 1보다 작은 소수인 (소수)÷(자연수)를 계산하는 방법을 알아보았습니다.

$$\begin{array}{r} 0.69 \\ 8\overline{)5.52} \\ \underline{48} \\ 72 \\ \underline{72} \\ 0 \end{array}$$

그렇다면 7.6÷5, 4.2÷4와 같이 나누어지는 수를 자연수로 바꾼 76÷5나 42÷4가 나누어떨어지지 않는 (소수)÷(자연수)는 어떻게 계산할까요?
이와 같은 (소수)÷(자연수)는 76÷5나 42÷4가 나누어떨어지지 않지만 760÷5나 420÷4는 나누어떨어짐을 이용하여 분수의 나눗셈으로 바꾸어 계산하거나 세로로 계산할 수 있습니다.

[방법 1] 분수로 바꾸어 계산하기

$$7.6\div5=\frac{760}{100}\div5=\frac{760\div5}{100}=\frac{152}{100}=1.52$$

$$4.2\div4=\frac{420}{100}\div4=\frac{420\div4}{100}=\frac{105}{100}=1.05$$

[방법 2] 세로로 계산하기

$$\begin{array}{r} 1.52 \\ 5\overline{)7.6\,0} \\ \underline{5} \\ 26 \\ \underline{25} \\ 10 \\ \underline{10} \\ 0 \end{array} \qquad \begin{array}{r} 1.05 \\ 4\overline{)4.2\,0} \\ \underline{4} \\ 20 \\ \underline{20} \\ 0 \end{array}$$

세로로 계산할 때, 7.6÷5처럼 계산이 끝나지 않으면 0을 하나 내려 계산합니다.
또한, 4.2÷4처럼 수를 하나 내렸음에도 나누어지는 수가 나누는 수보다 작을 경우에는 몫에 0을 쓰고 수를 하나 더 내려 계산합니다.

여기서 세로로 계산 중 몫이 나누어떨어지지 않는 8.6÷5, 8.2÷4와 같은 (소수)÷(자연수)를 소수를 분수로 바꾸고, 나눗셈을 곱셈으로 바꾸어 계산해 봅시다.
□ 안에 알맞은 것을 써넣으시오.

(1) $8.6\div5=\frac{86}{10}\div5=\frac{86}{10}\times\frac{1}{5}=\frac{86}{50}=\frac{172}{100}=\square$

(2) $8.2\div4=\frac{82}{10}\div4=\frac{82}{10}\times\frac{1}{4}=\frac{82}{40}=\frac{41}{20}=\frac{205}{100}=\square$

답 (1) 1.72 (2) 2.05

풍산자 비법

(소수)÷(자연수)에서 세로로 계산 중 몫이 나누어떨어지지 않는 경우

⇨ 나누어지는 소수의 오른쪽 끝자리에 0이 계속 있는 것으로 생각하고 0을 내려 계산한다.

⇨ 나누어야 할 수가 나누는 수보다 작으면 몫에 0을 쓴 다음 계산한다.

교과서 + 익힘책 유형

01 $1.5 \div 2$를 보기와 같은 방법으로 계산하시오.

$$2.7 \div 6 = \frac{270}{100} \div 6 = \frac{270 \div 6}{100}$$
$$= \frac{45}{100} = 0.45$$

02 자연수의 나눗셈을 이용하여 소수의 나눗셈을 하시오.

(1) $50 \div 2 = 25$ ⇨ $0.5 \div 2 =$

(2) $220 \div 4 = 55$ ⇨ $2.2 \div 4 =$

03 다음을 계산하시오.

(1) $4 \overline{)1.4}$ (2) $5 \overline{)7.3}$

04 계산을 잘못한 곳을 찾아 바르게 계산하시오.

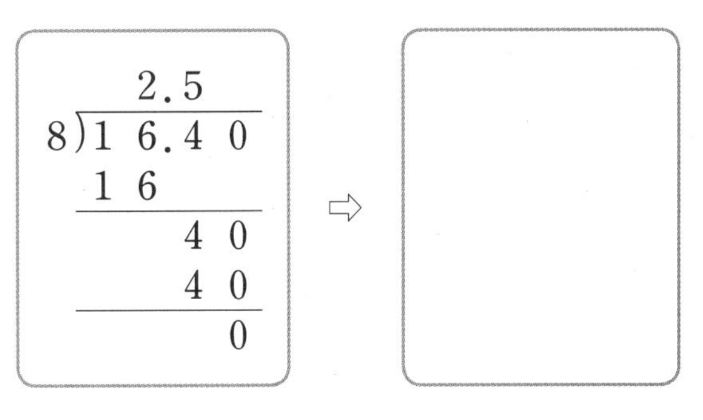

05 큰 수를 작은 수로 나눈 몫을 빈 곳에 써넣으시오.

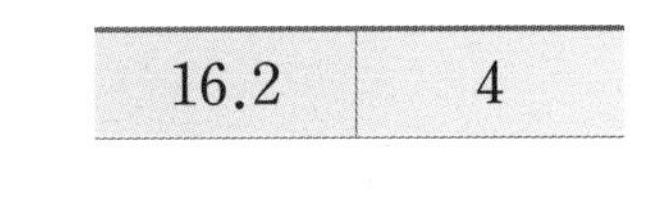

16.2	4

06 □ 안에 알맞은 수를 써넣으시오.

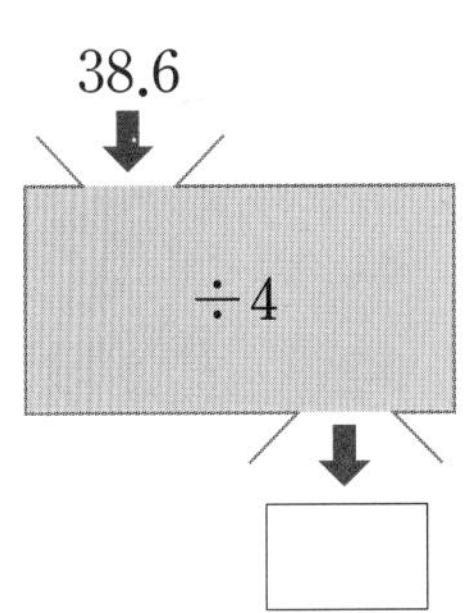

교과서 + 익힘책 응용 유형

07 계산 결과를 비교하여 ○ 안에 $>$, $=$, $<$를 알맞게 써넣으시오.

$$12.1 \div 5 \quad \bigcirc \quad 16.5 \div 6$$

08 넓이가 $29.4\ \text{cm}^2$인 정삼각형을 4등분하였습니다. 색칠한 부분의 넓이를 구하시오.

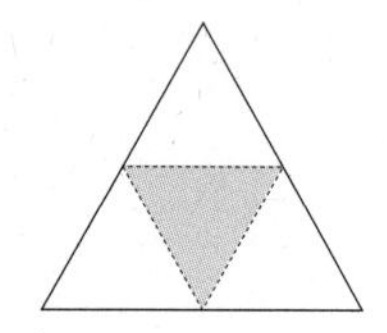

09 빈 곳에 알맞은 수를 써넣으시오.

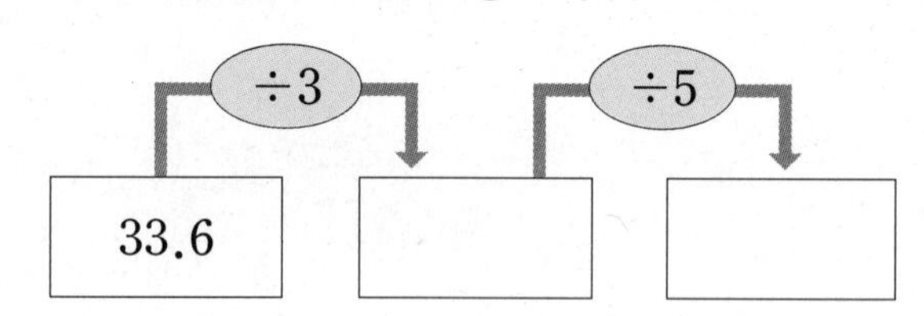

10 모든 모서리의 길이가 같은 삼각뿔이 있습니다. 모든 모서리의 길이의 합이 $12.3\ \text{cm}$일 때, 한 모서리의 길이를 구하시오.

11 넓이가 $136.2\ \text{cm}^2$인 평행사변형이 있습니다. 이 평행사변형의 밑변의 길이가 $4\ \text{cm}$일 때, 높이는 몇 cm인지 구하시오.

12 오렌지 주스 $11.1\ \text{L}$를 6개의 병에 똑같이 나누어 담았습니다. 병 한 개에 담은 오렌지 주스는 몇 L인지 구하시오.

잘 틀리는 유형

13 빈 곳에 알맞은 수를 써넣으시오.

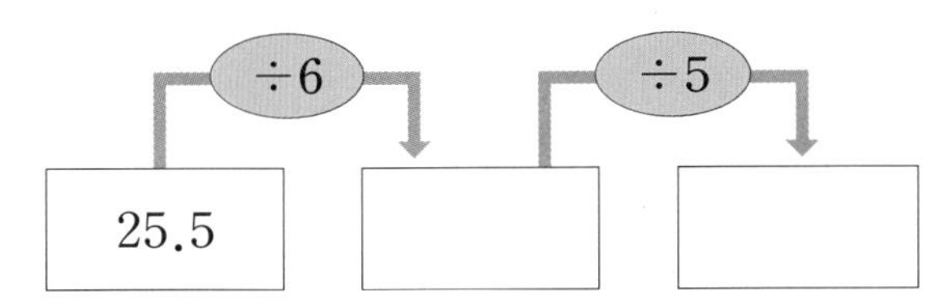

14 몫이 큰 것부터 차례대로 기호를 쓰시오.

㉠ $13.5\div6$	㉡ $18.9\div5$
㉢ $11.4\div4$	㉣ $20.4\div8$

15 어떤 수에 3을 곱했더니 75.6이 되었습니다. 어떤 수를 8로 나누었을 때의 몫을 구하시오.

16 빈 곳에 알맞은 수를 써넣으시오.

÷ ↓

109.8	125.3	55.4
5	4	4

17 그림을 보고 선영이네 가게의 사과 한 개와 승희네 가게의 사과 한 개 중 어느 것이 더 무거운지 구하시오. (단, 선영이네 가게에서 파는 사과의 무게는 모두 같으며, 승희네 가게에서 파는 사과의 무게도 모두 같습니다.)

18 길이가 4.6 m인 모판에 개나리 모종 5개를 같은 간격으로 심으려고 합니다. 모판의 처음과 끝에 모종을 심을 때 모종 사이의 간격을 몇 m로 해야 하는지 구하시오.

11 (자연수)÷(자연수)와 소수점 위치

우리는 앞 단원에서 5.2÷5와 같이 나누어지는 수를 자연수로 바꾼 52÷5가 나누어떨어지지 않는 (소수)÷(자연수)를 계산하는 방법을 알아보았습니다. 이런 계산은 분수의 나눗셈으로 바꾸어 계산하거나 세로로 계산하였습니다.

```
     1 . 0 5
5 ) 5 . 2 0
    5
    -------
        2 0
        2 0
        ---
          0
```

그렇다면 3÷4와 같이 나누어떨어지지 않는 (자연수)÷(자연수)의 몫은 소수로 어떻게 나타낼까요?
나누어떨어지지 않는 (자연수)÷(자연수)의 몫은 나눗셈의 몫을 분수로 나타낸 후 소수로 바꾸거나 세로로 계산하여 나타낼 수 있습니다.

[방법 1] 분수로 나타낸 후 계산하기

$$3\div4=\frac{3}{4}=\frac{3\times25}{4\times25}=\frac{75}{100}=0.75$$

[방법 2] 세로로 계산하기

```
      7 5              0 . 7 5
4 ) 3 0 0   ⇨   4 ) 3 . 0 0
    2 8               2 8
    -----             -----
      2 0               2 0
      2 0               2 0
      ---               ---
        0                 0
```

몫의 소수점은 자연수 바로 뒤에서 올려 찍고, 소수점 아래에서 받아내릴 수가 없는 경우 0을 받아내려 계산합니다

또한 19.6÷4=0.49, 19.6÷4=4.9, 19.6÷4=49 중 올바른 식을 직접 계산하지 않고 어떻게 찾을까요?
19.6을 소수 첫째 자리에서 반올림하면 20이므로 19.6을 20으로 어림하여 계산하면 20÷4=5입니다. 즉, 19.6÷4의 몫은 5에 가까운 수가 되어 19.6÷4=4.9임을 알 수 있습니다.

여기서 500÷4를 이용하여 5÷4를 계산하는 방법을 알아봅시다. □ 안에 알맞은 수를 써넣으시오.

어림하여 계산하면 소수점의 위치를 쉽게 찾을 수 있습니다.

500÷4=125이고 5÷4에서 5는 500의 $\frac{1}{100}$배이므로 몫도 $\frac{1}{100}$배인 □입니다.

답 1.25

풍산자 비법

(자연수)÷(자연수)의 몫을 소수로 나타내기

⇨ 몫을 분수로 나타낸 후 분모를 10, 100……인 분수로 바꾸어 소수로 나타낸다.

⇨ 나누어지는 수의 끝자리에 0이 계속 있다고 생각하고 0을 내려 계산한다.

교과서 + 익힘책 유형

01 $9\div4$를 보기와 같은 방법으로 계산하시오.

보기

$$5\div4=\frac{5}{4}=\frac{125}{100}=1.25$$

02 $420\div12=35$를 이용하여 다음 나눗셈의 몫을 구하시오.

$42\div12$

03 빈 곳에 알맞은 수를 써넣으시오.

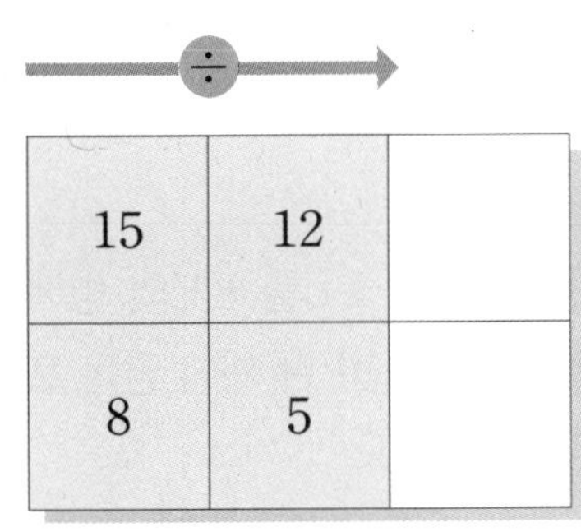

15	12	
8	5	

04 조건을 만족하는 나눗셈식을 만들고 몫을 구하시오.

조건

- $750\div6$을 이용하여 풀 수 있습니다.
- 몫이 $750\div6$의 $\frac{1}{10}$배입니다.

05 계산 결과를 비교하여 ○ 안에 >, =, <를 알맞게 써넣으시오.

$10\div16$ ○ $15\div24$

06 어림셈하여 몫의 소수점 위치를 찾아 표시하시오.

$31.64\div7$

어림 [　] ÷ [　] ⇨ 약 [　]

몫 4 □ 5 □ 2

교과서 + 익힘책 응용 유형

07 1부터 9까지의 자연수 중에서 □ 안에 들어갈 수 있는 수를 모두 구하시오.

$35 \div 14 < 2.\square$

08 빈 곳에 알맞은 수를 써넣으시오.

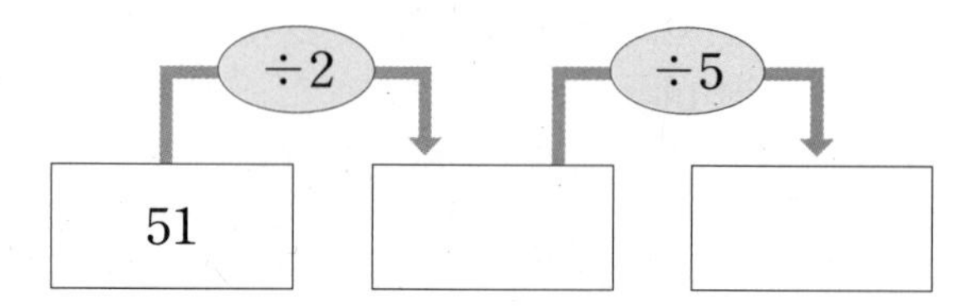

09 몫을 어림하여 몫이 1보다 큰 나눗셈을 모두 고르시오.

㉠ $3.24 \div 3$	㉡ $3.56 \div 4$	㉢ $2.45 \div 5$
㉣ $2.28 \div 3$	㉤ $4.48 \div 4$	㉥ $5.6 \div 5$
㉦ $1.26 \div 3$	㉧ $4.52 \div 4$	㉨ $7.05 \div 5$

10 주희의 계산을 보고 주희가 어떤 실수를 하였는지 찾아 바르게 계산하시오.

> 3.2 L의 물을 두 사람에게 나누어 주어야 해.
> $32 \div 2 = 16$이므로 $3.2 \div 2 = 0.16$이야.
> 그러므로 한 사람이 가지게 되는 물의 양은 0.16 L야.

11 넓이가 81 cm^2인 직사각형이 있습니다. 이 직사각형의 가로가 12 cm일 때, 세로는 몇 cm인지 구하시오.

12 포도 주스 15 L를 6개의 병에 똑같이 나누어 담았습니다. 병 한 개에 담은 포도 주스는 몇 L인지 구하시오.

잘 틀리는 유형

13 빈 곳에 알맞은 수를 써넣으시오.

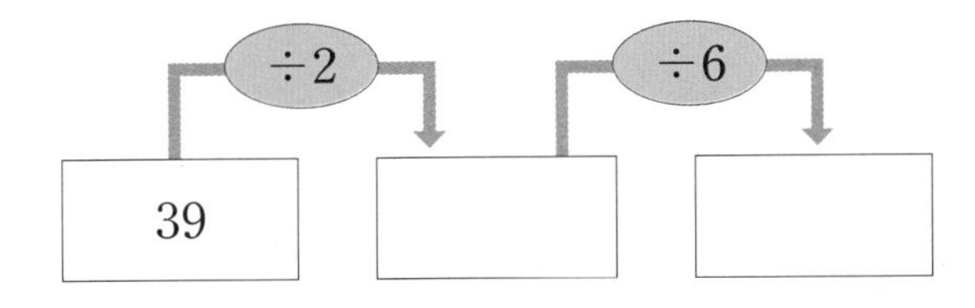

14 어떤 수에 15를 곱했더니 36이 되었습니다. 어떤 수를 6으로 나누었을 때의 몫을 구하시오.

15 $43 \div 4$의 몫을 나누어떨어질 때까지 구하려면 나뉠 수의 끝자리 아래 0을 몇 번 내려서 계산해야 하는지 구하시오.

16 빈 곳에 알맞은 수를 써넣으시오.

(÷, 위에서 아래로)

102	63	31
12	14	4

17 무게가 같은 자두가 한 봉지에 8개씩 있습니다. 5봉지의 무게가 6 kg일 때, 자두 한 개의 무게는 몇 kg인지 구하시오.

18 네 수 2, 3, 6, 8 중 두 수를 한 번씩만 사용하여 몫이 가장 작은 나눗셈식을 만들고 계산하시오.

소수의 종류에는 무엇이 있을까요?

지금까지 우리는 소수의 나눗셈을 배웠습니다.
네? 재미가 별로 없었다고요? 걱정하지 말아요~
재미를 느끼지 못했던 친구들을 위해 준비했답니다.
소수에는 어떤 다양한 종류의 소수가 있는지 알아보려고 합니다.
중학교에서 자세히 배울 내용이지만
새로운 수학의 세계에 빠져들 준비가 되었나요?
One, two, three~ Let's go!

소수의 종류에는 무엇이 있을까요?

(가) $\frac{1}{10}=0.1$, $\frac{2}{5}=\frac{2\times2}{5\times2}=\frac{4}{10}=0.4$

(나) $\frac{1}{3}=1\div3=0.3333\cdots$, $\frac{1}{7}=0.142857142857\cdots$

(다) $3.14159265358979\cdots$

(가)와 같이 소수점 아래의 숫자가 몇 개인지 셀 수 있는 소수를 유한소수라고 합니다.
(나), (다)와 같이 소수점 아래의 숫자가 셀 수 없이 많은 소수를 무한소수라고 합니다.
(나)의 경우에는 소수점 아래의 수가 일정한 규칙을 갖고 반복되는 것을 볼 수 있습니다. $0.3333\cdots$은 3이 반복되고, $0.142857142857\cdots$은 142857이 반복됩니다.
이와 같이 소수점 아래에 규칙을 갖고 반복되는 소수를 순환소수라고 합니다.
하지만 (다)의 경우처럼 소수점 아래의 수가 규칙을 갖지 않는 소수는 순환하지 않는 무한소수라고 한답니다.

유한소수와 무한소수를 구별해 볼까요?

다음 소수에 대하여 유한소수에는 '유', 무한소수에는 '무'를 써 봅시다.

[1] 0.123 ( )　　[2] $0.1666\cdots$ ( )

[3] 3.14 ( )　　[4] 1.0001 ( )

[5] 5 ( )　　[6] 0.00098 ( )

[7] $3.840293\cdots$ ( )　　[8] $1.\underbrace{000\cdots0}_{100개}1$ ( )

비와 비율

공부할 내용	공부한 날
12 비	월 일
13 비율	월 일
14 백분율	월 일

12 비

우리는 **[수학 5-1] 3단원** 규칙과 대응에서 두 양 사이의 대응 관계를 알아보았습니다.

한 주머니에 검은 바둑돌을 6개씩, 흰 바둑돌을 2개씩 넣을 때 주머니 수와 검은 바둑돌 수, 흰 바둑돌 수의 관계를 표로 나타내면 다음과 같습니다.

주머니 수(개)	1	2	3	4	……
검은 바둑돌 수(개)	6	12	18	24	……
흰 바둑돌 수(개)	2	4	6	8	……

그렇다면 검은 바둑돌 수와 흰 바둑돌 수를 어떻게 비교할까요?

주머니 수에 따른 검은 바둑돌 수와 흰 바둑돌 수를 뺄셈으로 비교해 보면 주머니 수에 따라 검은 바둑돌은 흰 바둑돌보다 각각 4개, 8개, 12개, 16개가 더 많습니다.

주머니 수에 따른 검은 바둑돌 수와 흰 바둑돌 수를 나눗셈으로 비교해 보면 검은 바둑돌 수는 항상 흰 바둑돌 수의 3배입니다.

두 수를 나눗셈으로 비교하기 위해 기호 :을 사용하여 나타낸 것을 **비**라고 합니다.

두 수 6과 2를 비교할 때 **6 : 2**라 쓰고 **6 대 2**라고 읽습니다.

이때 기호 :의 오른쪽에 있는 수가 기준입니다.

6 : 2는 "6과 2의 비", "2에 대한 6의 비", "6의 2에 대한 비"라고도 읽습니다.

뺄셈으로 비교한 경우에는 검은 바둑돌 수와 흰 바둑돌 수의 관계가 변하지만 나눗셈으로 비교한 경우에는 검은 바둑돌 수와 흰 바둑돌 수의 관계가 변하지 않습니다.

6 : 2
⇨ 2를 기준으로 하여 6을 비교
2 : 6
⇨ 6을 기준으로 하여 2를 비교

여기서 6 : 3과 3 : 6의 차이점을 알아봅시다. □ 안에 알맞은 수를 써넣으시오.

귤 수 6과 딸기 수 3을 비교하기 위하여 비로 나타내면

(1) 귤 수와 딸기 수의 비 ⇨ 6 : □

(2) 딸기 수와 귤 수의 비 ⇨ 3 : □

즉, 6 : 3과 3 : 6은 기준이 되는 수가 다르고 비도 다릅니다.

답 (1) 3 (2) 6

풍산자 비법

▲ : ■ ⇨ ▲ 대 ■, ▲와 ■의 비, ■에 대한 ▲의 비, ▲의 ■에 대한 비

교과서 + 익힘책 유형

01 여학생 15명과 남학생 5명으로 한 모둠을 만들려고 합니다. 여학생 수와 남학생 수를 비교하여 □ 안에 알맞은 수를 써넣으시오.

(1) 뺄셈: $15-5=$□

⇨ 여학생은 남학생보다 □명 더 많습니다.

(2) 나눗셈: $15\div5=$□

⇨ 여학생 수는 남학생 수의 □배입니다.

02 책상 위에 색연필 18자루, 연필 9자루가 있습니다. 색연필 수와 연필 수를 바르게 비교한 것을 찾아 기호를 쓰시오.

㉠ 색연필은 연필보다 9자루 더 적습니다.
㉡ 연필은 색연필보다 9자루 더 적습니다.
㉢ 연필 수는 색연필 수의 2배입니다.

03 필통에 연필 5자루, 지우개 4개가 들어 있습니다. 연필 수와 지우개 수의 비를 나타낼 때 □ 안에 알맞은 수를 써넣으시오.

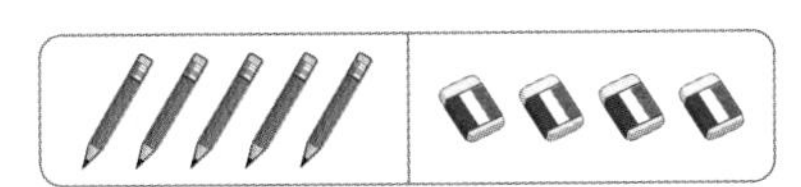

(1) □ : □
(2) □ 대 □
(3) □에 대한 □의 비
(4) □의 □에 대한 비
(5) □와 □의 비

04 □ 안에 알맞은 수를 써넣으시오.

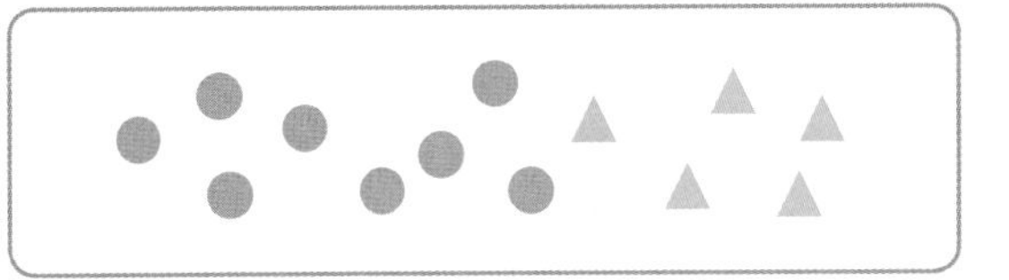

(1) ●의 수에 대한 ▲의 수의 비

⇨ □ : □

(2) ▲의 수에 대한 ●의 수의 비

⇨ □ : □

05 채영이네 모둠에는 남학생이 2명, 여학생이 3명 있습니다. 남학생 수와 여학생 수의 비를 구하시오.

06 전체에 대한 색칠한 부분의 비가 5 : 8이 되도록 색칠하시오.

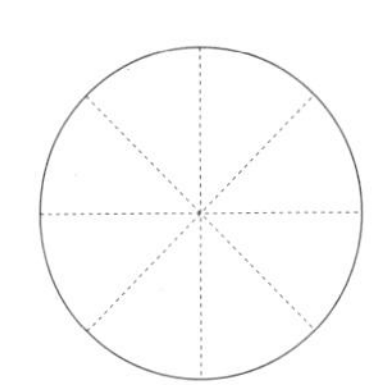

교과서 + 익힘책 응용 유형

07 그림을 보고 □ 안에 알맞은 수를 써넣으시오.

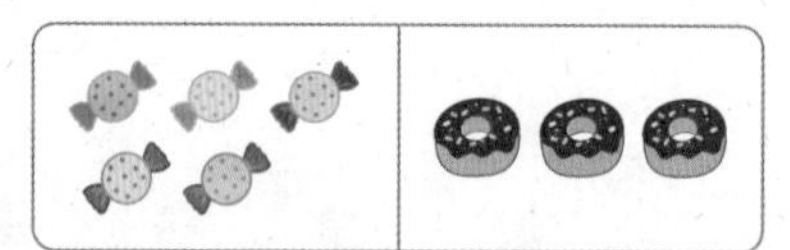

(1) 사탕 수와 도넛 수의 비 ⇨ □ : □

(2) 도넛 수와 사탕 수의 비 ⇨ □ : □

08 그림을 보고 □ 안에 알맞은 수를 써넣으시오.

(1) 장미 수에 대한 꽃병 수의 비 ⇨ □ : □

(2) 장미 수의 꽃병 수에 대한 비 ⇨ □ : □

09 은비가 50 m 장애물 달리기를 하고 있습니다. 장애물이 출발점에서부터 20 m 거리에 있습니다. 출발점에서부터 장애물까지 거리와 장애물에서부터 도착점까지 거리의 비를 구하시오.

10 비 6 : 5를 잘못 읽은 사람은 누구인지 이름을 쓰고 바르게 고치시오.

지윤	승우	동훈
6 : 5	5와 6의 비	5에 대한 6의 비

11 미란이네 학교에서 체육대회에 참가한 6학년 반별 남학생 수와 여학생 수를 나타낸 표입니다. 4반 남학생 수와 2반 여학생 수의 비를 구하시오.

반	1	2	3	4	5
남학생 수(명)	5	3	6	5	4
여학생 수(명)	4	8	5	3	7

12 전체에 대한 색칠한 부분의 비를 구하시오.

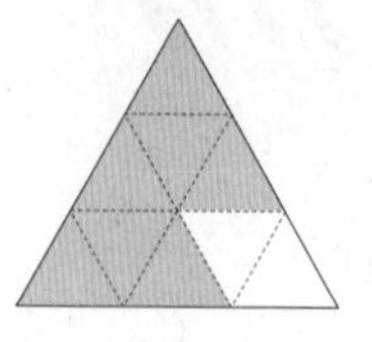

잘 틀리는 유형

13 정사각형 '가'의 넓이에 대한 삼각형 '나'의 넓이의 비를 구하시오.

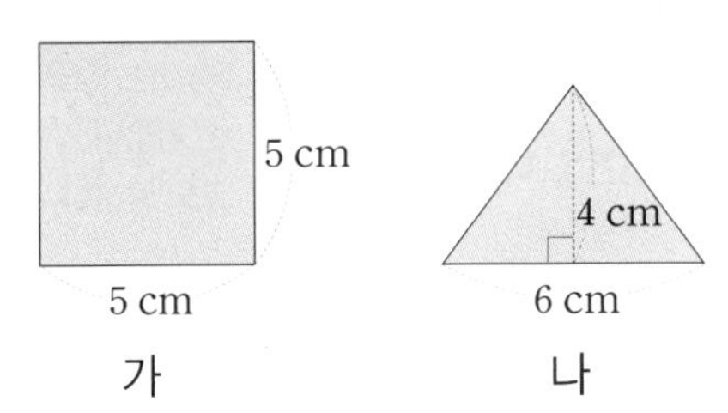

14 리본을 9등분하였습니다. '가'의 길이에 대한 '나'의 길이의 비를 구하시오.

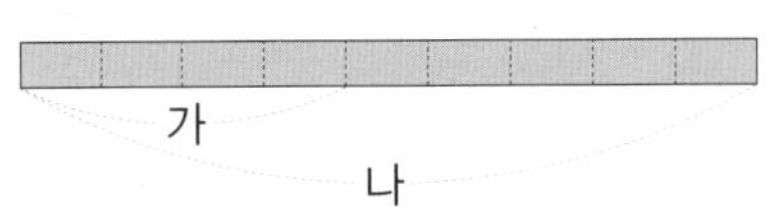

15 상자 안에 축구공 13개, 야구공 15개, 농구공 7개가 들어 있습니다. 상자 안에 들어 있는 전체 공의 수에 대한 농구공의 수의 비를 구하시오.

16 나현이가 집에서부터 500 m 거리에 있는 옷가게에 가고 있습니다. 집에서 옷가게에 가는 길에 있는 마트가 집에서부터 120 m 거리에 있을 때, 집에서부터 마트까지 거리와 마트에서부터 옷가게까지 거리의 비를 구하시오.

17 지연이의 나이는 13살이고, 오빠의 나이는 21살입니다. 지연이의 나이의 오빠의 나이에 대한 비를 구하시오.

18 친구들이 비에 대해 이야기한 것이 맞는지 틀린지 쓰고, 틀리면 그 이유를 설명하시오.

지원: 4 : 8과 8 : 4는 같아요.

동현: 우리 반 전체 학생은 30명이고, 여학생은 14명이에요. 우리 반 여학생 수와 남학생 수의 비는 14 : 16이에요.

13 비율

우리는 앞 단원에서 비를 알아보았습니다. 두 수를 나눗셈으로 비교하기 위해 비로 나타냈습니다. 두 수 4와 5를 비교할 때 기호 :을 사용하여 4 : 5라 쓰고 4 대 5라고 읽었습니다. 이때 기호 :의 오른쪽에 있는 수가 기준입니다.

4 : 5는 "4와 5의 비", "5에 대한 4의 비", "4의 5에 대한 비"라고도 읽습니다.

그렇다면 비에서 기준량에 대한 비교하는 양의 크기를 어떻게 계산할까요?

비 8 : 25에서 기호 :의 오른쪽에 있는 25는 **기준량**이고, 왼쪽에 있는 8은 **비교하는 양**입니다.
기준량에 대한 비교하는 양의 크기를 **비율**이라고 합니다.

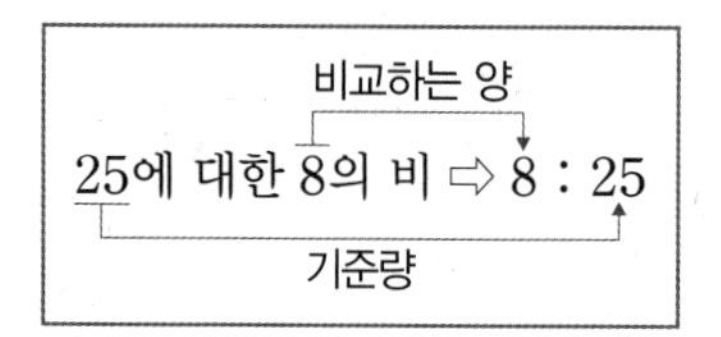

비율은 분수 또는 소수로 나타낼 수 있습니다.

$$(\text{비율})=(\text{비교하는 양})\div(\text{기준량})=\frac{(\text{비교하는 양})}{(\text{기준량})}$$

비 8 : 25를 비율로 나타내면 $\frac{8}{25}$ 또는 0.32입니다.

여기서 기준량과 비교하는 양이 달라도 비율이 같을 수 있음을 알아봅시다. □ 안에 알맞은 수를 써넣으시오.

두 직사각형 가, 나의 가로에 대한 세로의 비율을 구해 보면

가 : 가로에 대한 세로의 비율은 $\frac{6}{8}=\frac{3}{4}(=0.75)$

나 : 가로에 대한 세로의 비율은 $\frac{15}{20}=$ □

즉, 기준량과 비교하는 양이 달라도 비율은 같을 수 있습니다.

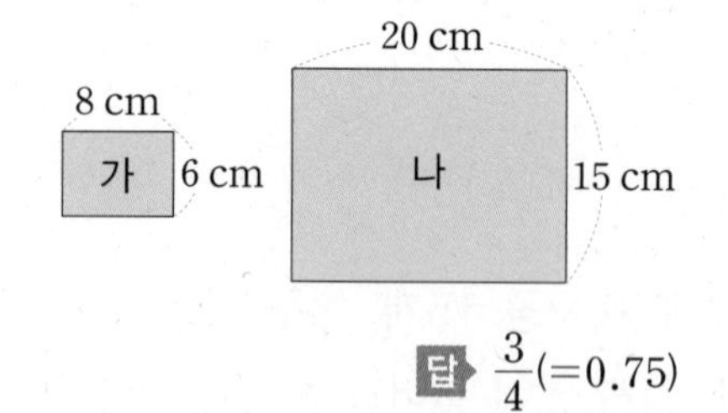

답 $\frac{3}{4}(=0.75)$

비율을 이용하면 **[수학 5-2]**에서 배운 가능성을 다양한 수로 표현할 수 있습니다.
예를 들어, 주머니 속에 빨간 공이 3개, 파란 공이 4개 들어 있을 때, 주머니에서 꺼낸 한 개의 공이 빨간 공일 가능성은
(빨간 공일 가능성)
$=\frac{(\text{빨간 공의 수})}{(\text{전체 공의 수})}=\frac{3}{7}$
입니다.

풍산자 비법

$$(\text{비율})=(\text{비교하는 양})\div(\text{기준량})=\frac{(\text{비교하는 양})}{(\text{기준량})}$$

교과서 + 익힘책 유형

01 빈 곳에 알맞은 수를 써넣으시오.

비	비교하는 양	기준량
9 : 15		
11과 20의 비		
12에 대한 27의 비		

02 다음 비를 비율로 나타내면 $\frac{2}{5}$입니다. □ 안에 알맞은 수를 써넣으시오.

□ : 15

03 '나'의 길이에 대한 '가'의 길이의 비율을 소수로 나타내시오.

가 9 cm

나 6 cm

04 지수가 일주일 동안 읽은 7권의 책 중에서 5권이 동화책이었습니다. 다음은 지수가 읽은 동화책 수에 대한 전체 책 수의 비를 나타낸 것입니다. 설명이 맞으면 ○표, 틀리면 ×표 하시오.

7 : 5

(1) 기준량은 전체 책 수입니다.
( )

(2) 비교하는 양은 전체 책 수입니다.
( )

(3) 비율을 분수로 나타내면 $\frac{7}{5}$입니다.
( )

05 보기와 같이 기준량에 밑줄을 그어 보시오.

보기
(연필 수) : (지우개 수)

(1) 남학생 수와 여학생 수의 비

(2) 6학년 전체 학생 수에 대한 우리 반 학생 수의 비

교과서 + 익힘책 응용 유형

06 관계 있는 것끼리 이어 보시오.

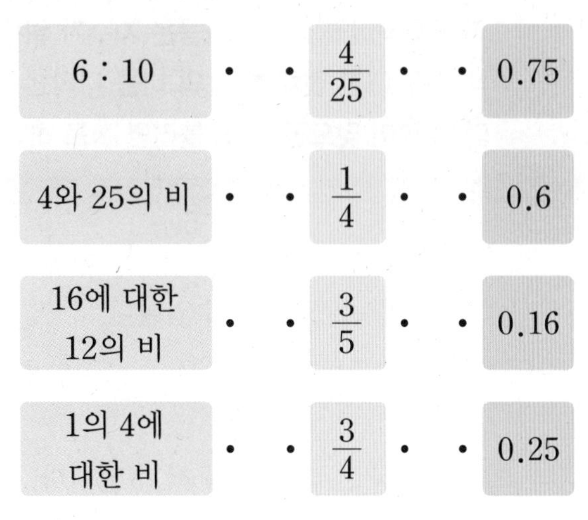

07 진주네 학교에서 수학여행을 갔습니다. 진주네 모둠 6명은 8인실을 사용했고, 은효네 모둠 3명은 6인실을 사용했습니다. 어떤 모둠이 더 넓게 느꼈을지 설명하시오.

08 카드의 세로와 가로의 비율을 기약분수로 나타내시오.

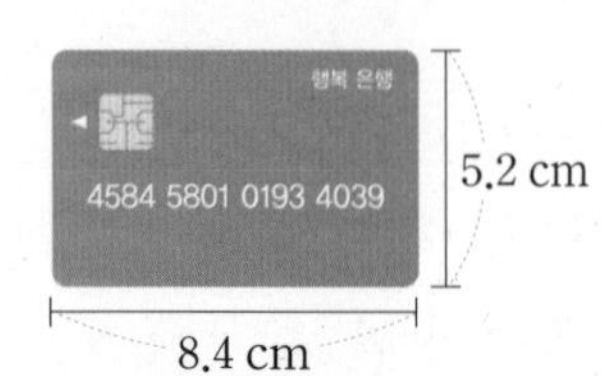

09 세 회전판이 있습니다. 화살을 각각 한 번씩 쏘았을 때 색칠된 면을 맞힐 가능성이 낮은 회전판부터 차례대로 쓰시오. (단, 경계선을 맞힌 경우는 생각하지 않습니다.)

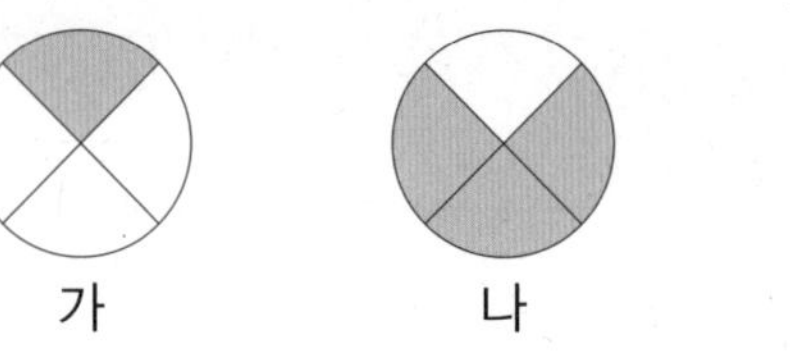

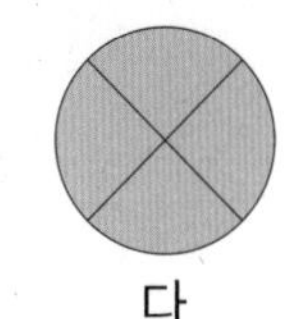

10 동전을 10회 던졌더니 그림 면이 3회 나왔습니다. 동전을 던진 횟수에 대한 숫자 면이 나온 횟수의 비율을 분수와 소수로 각각 나타내시오.

11 지윤이가 150 m를 달리는 데 30초 걸렸습니다. 지윤이가 150 m를 달리는 데 걸린 시간에 대한 달린 거리의 비율을 구하시오.

잘 틀리는 유형

12 두 지역의 넓이에 대한 인구의 비율을 각각 구하여 두 지역 중 인구가 더 밀집한 곳을 구하시오.

지역	A	B
인구(명)	5700	8600
넓이(km^2)	3	5
넓이에 대한 인구의 비율		

13 학교 앞 서점에서는 정가가 12000원인 문제집을 1500원 할인해 주고, 인터넷 서점에서는 정가가 14000원인 문제집을 2000원 할인해 줍니다. 할인율이 더 높은 서점은 어디인지 구하시오.

14 주머니 속에 빨간 구슬이 3개, 노란 구슬이 5개, 파란 구슬이 4개 들어 있습니다. 주머니에서 구슬 하나를 꺼냈을 때, 꺼낸 구슬의 색이 빨간색일 가능성을 기약분수로 나타내시오.

15 삼각형의 넓이에 대한 직사각형의 넓이의 비율을 소수로 나타내시오.

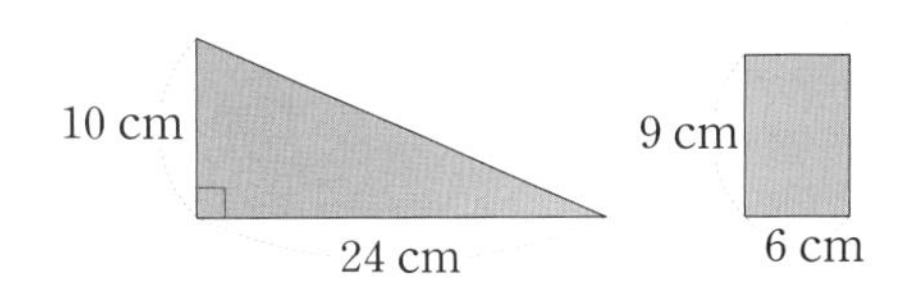

16 기차는 180 km를 가는 데 2시간이 걸렸고, 승용차는 240 km를 가는 데 3시간이 걸렸습니다. 기차와 승용차의 걸린 시간에 대한 달린 거리의 비율을 각각 구하여 어느 것이 더 빠른지 구하시오.

17 현일이는 물에 소금 100 g을 넣어 소금물 500 g을 만들었고, 예훈이는 물에 소금 150 g을 넣어 소금물 900 g을 만들었습니다. 두 사람의 소금물의 양에 대한 소금의 양의 비율을 각각 구하여 누가 만든 소금물이 더 진한지 구하시오.

14 백분율

우리는 앞 단원에서 비율을 알아보았습니다. 기준량에 대한 비교하는 양의 크기를 비율이라고 하였습니다.

$$(\text{비율})=(\text{비교하는 양})\div(\text{기준량})=\frac{(\text{비교하는 양})}{(\text{기준량})}$$

비 4 : 25를 비율로 나타내면 $\frac{4}{25}$ 또는 0.16입니다.

그렇다면 기준량이 다른 비율의 비교는 어떻게 할까요?

기준량이 다른 비율은 기준량을 같게 하여 비교할 수 있습니다.

기준량을 100으로 할 때의 비율을 **백분율**이라고 합니다. 백분율은 비율에 100을 곱하여 계산할 수 있고, 기호 **%**를 사용하여 나타냅니다.

비율 $\frac{87}{100}$을 **87 %**라 쓰고 **87 퍼센트**라고 읽습니다.

- 비율을 백분율로 나타내기: 비율에 100을 곱한 후 %를 붙입니다.
  $\frac{52}{100}$ ⇨ $\frac{52}{100}\times100=52(\%)$, 0.52 ⇨ $0.52\times100=52(\%)$
- 백분율을 비율로 나타내기: 백분율에서 %를 떼고 100으로 나눕니다.
  31 % ⇨ $31\div100=\frac{31}{100}=0.31$

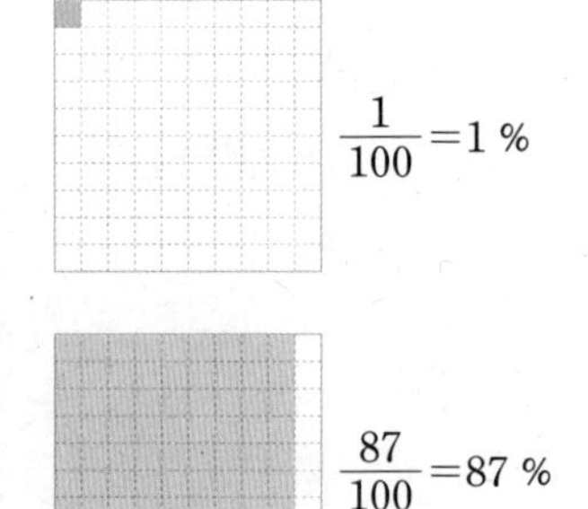

여기서 40 : 50과 17 : 20의 비율 중에서 어느 것이 더 큰지 알아봅시다. □ 안에 알맞은 것을 써넣으시오.

40 : 50을 비율로 나타내면 $\frac{40}{50}$이고, 17 : 20을 비율로 나타내면 $\frac{17}{20}$입니다.

두 비율을 백분율로 나타내면 $\frac{40}{50}\times100=80(\%)$, $\frac{17}{20}\times100=85(\%)$입니다.

따라서 □의 비율이 더 큽니다.

답 17 : 20

비 ▲ : ■ ⇨ 비율 $\frac{▲}{■}$ ⇨ 백분율 $\frac{▲}{■}\times100(\%)$

교과서 + 익힘책 유형

01 비율을 백분율로 나타내려고 합니다. □ 안에 알맞은 수를 써넣으시오.

(1) $\frac{1}{5}$ ⇨ $\frac{1}{5}\times$ □ = □ (%)

(2) 0.67 ⇨ $0.67\times$ □ = □ (%)

02 비 16 : 25의 비율을 바르게 나타낸 것을 찾아 기호를 쓰시오.

> ㉠ 6.4　　㉡ 64 %　　㉢ $\frac{4}{5}$

03 비율이 큰 것부터 차례대로 기호를 쓰시오.

> ㉠ 58 %　　㉡ $\frac{5}{8}$　　㉢ 0.47

04 빈 곳에 알맞은 수를 쓰시오.

비 \ 비율	분수	소수	백분율(%)
9 : 20			
4에 대한 7의 비			

05 전체에 대한 색칠한 부분의 비율을 백분율로 나타내시오.

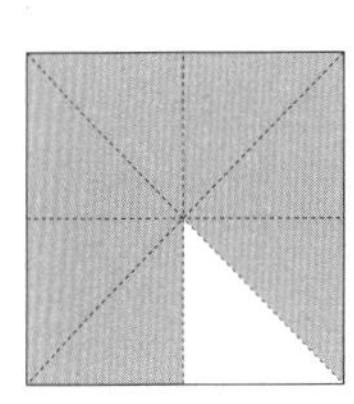

06 여름방학에 봉사활동을 가는 것에 찬성하는 학생 수를 조사했습니다. 각 반의 찬성률을 %로 나타내어 찬성률이 가장 높은 반은 몇 반인지 구하시오.

	전체 학생 수(명)	찬성하는 학생 수(명)	찬성률(%)
1반	20	17	
2반	24	18	
3반	25	19	

교과서 + 익힘책 응용 유형

07 넓이가 $200\ \text{m}^2$인 마당에 넓이가 $48\ \text{m}^2$인 정원을 만들려고 합니다. 마당 넓이에 대한 정원 넓이의 비율을 백분율로 나타내시오.

08 설탕 $20\ \text{g}$을 물 $80\ \text{g}$에 넣어 설탕물을 만들었습니다. 만든 설탕물에서 설탕물에 대한 설탕의 비율은 몇 %인지 구하시오.

09 퀴즈 대회에서 어떤 문제를 1반 학생 32명 중 24명이 맞혔고, 2반 학생 25명 중 17명이 맞혔습니다. 반 학생 수에 대한 문제를 맞힌 학생 수의 백분율은 어느 반이 더 높은지 구하시오.

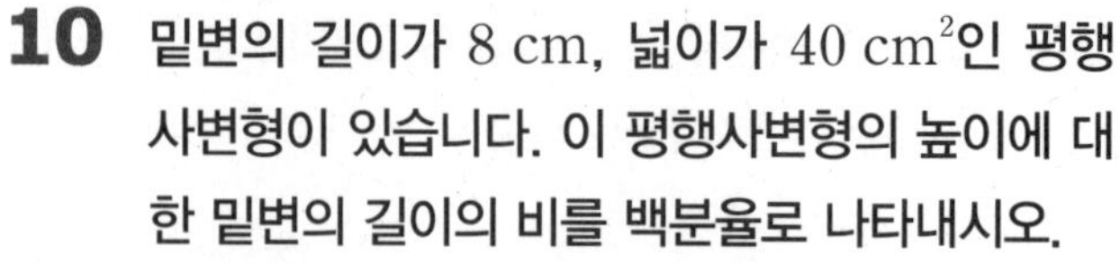

10 밑변의 길이가 $8\ \text{cm}$, 넓이가 $40\ \text{cm}^2$인 평행사변형이 있습니다. 이 평행사변형의 높이에 대한 밑변의 길이의 비를 백분율로 나타내시오.

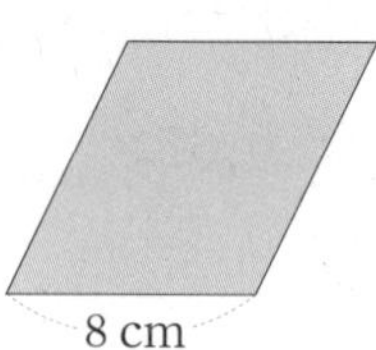

11 비율을 백분율로 잘못 나타낸 것을 찾아 기호를 쓰시오.

㉠ $\frac{11}{25}$ ⇨ 44 %	㉡ 0.73 ⇨ 7.3 %
㉢ $\frac{13}{50}$ ⇨ 26 %	㉣ 0.25 ⇨ 25 %

12 친구들이 백분율에 대해 이야기한 것이 맞는지, 틀린지 쓰시오.

> 은정: 비율 $\frac{9}{20}$를 백분율로 나타내려면 $\frac{9}{20}$에 100을 곱해서 나온 45에 기호 %를 붙이면 돼.

> 재린: 비율 $\frac{1}{5}$을 소수로 나타내면 0.2이고, 이것을 백분율로 나타내면 2 %야.

잘 틀리는 유형

13 재희와 준영이는 정가가 같은 장난감을 각각 '가' 가게와 '나' 가게에서 샀습니다. 어느 가게의 장난감 할인율이 더 높은지 구하시오.

> 재희: 난 **가** 가게에서 25 % 할인받아서 샀어.

> 준영: 난 **나** 가게에서 $\frac{8}{25}$만큼 할인 받아서 샀어.

14 윤수와 태훈이는 축구 연습을 했습니다. 윤수와 태훈이의 골 성공률은 각각 몇 %인지 구하여 누구의 골 성공률이 더 높은지 구하시오.

> 윤수: 나는 공을 25번 차서 골대에 22번 공을 넣었어요.

> 태훈: 나는 공을 20번 차서 골대에 17번 공을 넣었어요.

15 노란색 풍선과 빨간색 풍선이 모두 40개 있습니다. 이 중에서 풍선 1개가 바람에 날아갔습니다. 날아간 풍선의 색이 노란색일 가능성이 25 %라면 빨간색 풍선은 몇 개인지 구하시오.

16 학생 수가 27명인 주희네 반은 선생님 한 분과 함께 체험학습을 가려고 합니다. 표를 보고 어디로 가는 것이 더 저렴한지 구하시오.

고궁 요금표		
어른	4,000원	30명 이상 10 % 단체 할인
학생	2,000원	

과학 체험관 요금표		
어른	4,000원	20명 이상 20 % 단체 할인
학생	2,500원	

17 두 친구의 대화를 읽고 어느 가수가 더 인기가 많은지 구하시오.

> 정인: 혁진아, 누구 공연을 보러 갈지 정했어? 나는 우리 동네 문화센터에서 인기가 더 많은 가수의 공연을 보려고 해.
> 혁진: 응, 가수 K는 그 문화센터에서 좌석 수에 대한 관객 수의 비율이 70 %래.
> 정인: 그래? 가수 J도 인기가 많은것 같던데. 가수 J는 그 문화센터에서 좌석 500석당 360명이 봤다고 들었어.
> 혁진: 그럼 어느 가수가 더 인기가 많은 것일까?

스포츠에서 나타나는 비와 비율

지금까지 우리는 비와 비율을 배웠습니다.
비와 비율을 실생활에서 사용하는 경우에는 무엇이 있을까요?

비와 비율이 생활 속에서 어떻게 사용될까요?

우리나라 최고의 홈런타자 이승엽 선수는 지난 2017년 10월 3일을 마지막으로 프로야구에서 은퇴하였습니다. 이승엽 선수의 프로 통산 타율은 0.302, 홈런 467개, 타점 1498타점을 남겼습니다.

이승엽 선수의 기록을 이야기할 때 홈런과 타점은 정확한 개수를 사용했으나 타율은 소수로 표현하고 있습니다. 이는 타율은 비율의 개념을 사용하기 때문입니다. 즉, 전체 타수에 대한 안타 수의 비율이기 때문입니다.

타율 0.302는 $0.302=\frac{302}{1000}$이므로 1000번 타격을 하였을 때 302개의 안타를 쳤다는 뜻입니다. 이를 비로 표현하면 302 : 1000이고 백분율로 표현하면 $\frac{302}{1000}\times100=30.2(\%)$가 됩니다.

농구에서는 자유투 성공률을 백분율로 표현합니다. 자유투를 시도한 횟수에 대한 성공한 횟수를 백분율로 나타냅니다.

예를 들어, 20개의 자유투를 던져 14개가 성공한 것을 비, 비율, 백분율로 나타내면 14 : 20, $\frac{14}{20}$, $\frac{14}{20}\times100=70(\%)$입니다.

문제를 통해 알아볼까요?

타율을 소수로 표현하여 누가 타율이 가장 높은지 구해 봅시다.

선수	시우	규상	상준	현서
전체 타수	120	100	200	90
안타 수	30	32	58	27
타율	[1]	[2]	[3]	[4]

자유투 성공률을 백분율로 표현하여 누가 자유투 성공률이 가장 높은지 구해 봅시다.

선수	시우	규상	상준	현서
시도한 횟수	50	45	56	40
성공한 횟수	30	36	28	36
성공률	[5]	[6]	[7]	[8]

5

여러 가지 그래프

공부할 내용	공부한 날
15 띠그래프	월 일
16 원그래프	월 일
17 그래프 해석하기	월 일

15 띠그래프

우리는 **[수학 3-2]**에서 그림그래프, **[수학 4-1]**에서 막대그래프, **[수학 4-2]**에서 꺾은선그래프를 알아보았습니다.

그렇다면 전체에 대한 각 부분의 비율을 그래프로 어떻게 나타낼까요?
전체에 대한 각 부분의 비율을 띠 모양에 나타낸 그래프를 **띠그래프**라고 합니다.

좋아하는 과목별 학생 수

과목	국어	수학	과학	기타	합계
학생 수(명)	12	14	8	6	40
백분율(%)	30	35	20	15	100

좋아하는 과목별 학생 수

0 10 20 30 40 50 60 70 80 90 100(%)

국어 (30 %)	수학 (35 %)	과학 (20 %)	기타 (15 %)

띠그래프로 나타내는 방법을 순서대로 정리하면 다음과 같습니다.

① 자료를 보고 각 항목의 백분율을 구합니다.
② 각 항목의 백분율의 합계가 100 %가 되는지 확인합니다.
③ 각 항목이 차지하는 백분율의 크기만큼 선을 그어 띠를 나눕니다.
④ 나눈 부분에 각 항목의 내용과 백분율을 씁니다.
⑤ 띠그래프의 제목을 씁니다.

띠그래프는 전체에 대한 각 부분의 비율을 한눈에 알아보기 쉽고, 각 항목끼리의 비율을 비교하기도 쉽습니다.

여기서 앞 단원에서 배운 백분율을 구하는 방법을 이용하여 위의 좋아하는 과목의 백분율을 직접 구해 봅시다. □ 안에 알맞은 것을 써넣으시오.

국어: $\frac{12}{40}\times100=30(\%)$, 수학: $\frac{14}{40}\times100=35(\%)$

과학: $\frac{8}{40}\times100=20(\%)$, 기타: $\frac{6}{40}\times100=\square(\%)$

답 15

10명 1명

요일	학생 수
월요일	
화요일	
수요일	
목요일	
금요일	

▲ 그림그래프

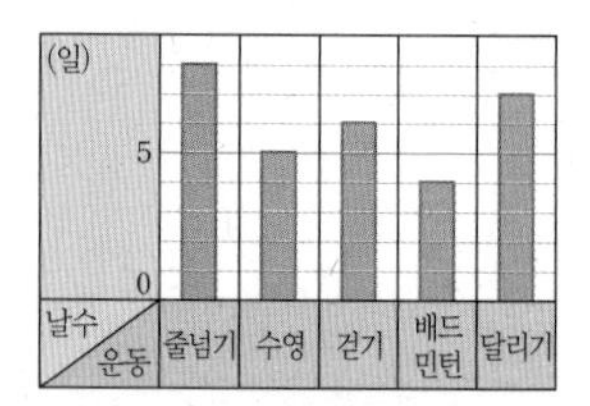

▲ 막대그래프

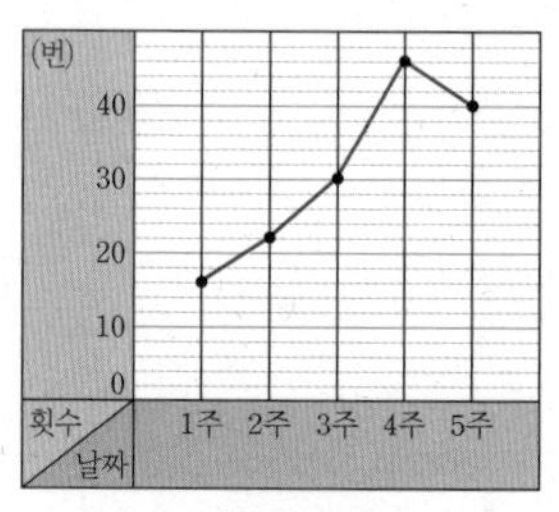

▲ 꺾은선그래프

띠그래프에서 비율이 높을수록 차지하는 항목의 길이가 길어집니다.

풍산자 비법

띠그래프 ⇨ 전체에 대한 각 부분의 비율을 띠 모양에 나타낸 그래프

교과서 + 익힘책 유형

[01-07] 민준이네 학교 학생들이 좋아하는 계절을 조사하여 나타낸 것입니다. 물음에 답하시오.

좋아하는 계절별 학생 수

봄 (35 %)	여름 (30 %)	가을 (20 %)	겨울 (15 %)

(눈금: 0 10 20 30 40 50 60 70 80 90 100(%))

01 위와 같은 그래프를 무엇이라고 하는지 쓰시오.

02 봄을 좋아하는 학생의 비율은 전체의 몇 %인지 구하시오.

03 여름을 좋아하는 학생의 비율은 전체의 몇 %인지 구하시오.

04 가을을 좋아하는 학생의 비율은 전체의 몇 %인지 구하시오.

05 겨울을 좋아하는 학생의 비율은 전체의 몇 %인지 구하시오.

06 가장 많은 학생들이 좋아하는 계절을 쓰시오.

07 가장 적은 학생들이 좋아하는 계절을 쓰시오.

[08-10] 승호네 반 학생들이 좋아하는 꽃을 조사하여 나타낸 표입니다. 물음에 답하시오.

좋아하는 꽃별 학생 수

꽃	장미	국화	백합	튤립	기타	합계
학생 수	12	10	8	6	4	40

08 꽃별로 백분율을 구하시오.

(1) 장미

(2) 국화

(3) 백합

(4) 튤립

(5) 기타

09 위에서 구한 각 백분율의 합을 구하시오.

10 띠그래프를 완성하시오.

좋아하는 꽃별 학생 수

장미 (30 %)	

(눈금: 0 10 20 30 40 50 60 70 80 90 100(%))

교과서 + 익힘책 응용 유형

[11-13] 정원이네 반 학생들이 기르고 싶어 하는 애완동물을 조사하여 나타낸 띠그래프입니다. 물음에 답하시오.

기르고 싶어 하는 애완동물별 학생 수

0 10 20 30 40 50 60 70 80 90 100(%)

강아지 (40 %)	토끼 (25 %)	고양이 (25 %)	새(10 %)

11 가장 많은 학생들이 기르고 싶어 하는 애완동물을 쓰시오.

12 토끼를 기르고 싶어 하는 학생이 차지하는 비율은 몇 %인지 구하시오.

13 강아지를 기르고 싶어 하는 학생 수는 새를 기르고 싶어 하는 학생 수의 몇 배인지 구하시오.

14 민규네 반 학생들이 좋아하는 색깔을 조사하여 나타낸 표입니다. 표를 완성하고 띠그래프를 그려 보시오.

좋아하는 색깔별 학생 수

과일	하늘색	분홍색	노란색	빨간색	합계
학생 수	14	10	12	4	40
백분율(%)					

좋아하는 색깔별 학생 수

0 10 20 30 40 50 60 70 80 90 100(%)

[15-16] 철산 마을의 학교별 학생 수를 조사하여 나타낸 띠그래프입니다. 물음에 답하시오.

학교별 학생 수

0 10 20 30 40 50 60 70 80 90 100(%)

초등학교 (40 %)	중학교 (25 %)	고등학교 (20 %)	대학교 (15 %)

15 초등학생 수는 고등학생 수의 몇 배인지 구하시오.

16 학생 수가 많은 학교를 순서대로 세 곳 쓰시오.

17 자료를 보고 띠그래프를 그려 보시오.

> 진희네 동아리 학생들이 좋아하는 운동을 조사하였더니 축구가 24명, 야구가 21명, 배구가 12명, 기타가 3명이었습니다.

좋아하는 운동별 학생 수

0 10 20 30 40 50 60 70 80 90 100(%)

잘 틀리는 유형

[18-21] 희주네 반 학생 40명이 좋아하는 음악을 조사하여 나타낸 표입니다. 물음에 답하시오.

좋아하는 음악별 학생 수

음악	클래식	대중 가요	힙합	국악	합계
학생 수(명)	8	14	12	6	40

18 □ 안에 알맞은 수를 써넣으시오.

좋아하는 음악별 학생 수

0 10 20 30 40 50 60 70 80 90 100(%)

클래식 (20 %)	대중 가요 (□ %)	힙합 (□ %)	국악 (15 %)

19 대중 가요를 좋아하는 학생의 비율은 국악을 좋아하는 학생의 비율보다 몇 % 더 많은지 구하시오.

20 힙합을 좋아하는 학생 수는 국악을 좋아하는 학생 수의 몇 배인지 구하시오.

21 각 음악의 백분율을 모두 더하면 몇 %인지 구하시오.

22 인우네 마을 학생 150명을 대상으로 학생 수를 조사하여 나타낸 띠그래프입니다. 초등학생 수가 중학생 수의 2배일 때 초등학생은 몇 명인지 구하시오.

인우네 마을 학생 수

초등학생	중학생	고등학생 (18 %)	대학생(10 %)

[23-24] 예찬이네 반 학생들이 좋아하는 책을 조사하여 나타낸 표입니다. 물음에 답하시오.

좋아하는 책별 학생 수

책	만화	소설	역사책	과학책	합계
학생 수(명)	20	14	10	6	50

23 길이가 10 cm인 띠그래프로 나타낸다면 소설이 차지하는 부분의 길이는 몇 cm인지 구하시오.

24 띠그래프로 나타낼 때 역사책이 차지하는 부분의 길이가 5 cm이면 띠그래프의 전체 길이는 몇 cm인지 구하시오.

16 원그래프

우리는 앞 단원에서 띠그래프를 알아보았습니다. 전체에 대한 각 부분의 비율을 띠 모양에 나타낸 그래프를 띠그래프라고 하였습니다.

그렇다면 전체에 대한 각 부분의 비율을 다른 모양의 그래프로도 나타낼 수 있을까요?

전체에 대한 각 부분의 비율을 원 모양에 나타낸 그래프를 **원그래프**라고 합니다.

부모님의 직업별 학생 수

직업	사업	회사원	공무원	기타	합계
학생 수(명)	135	90	45	30	300
백분율(%)	45	30	15	10	100

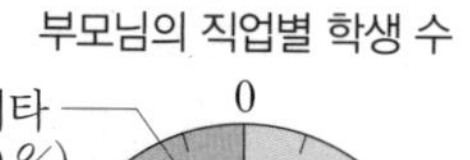

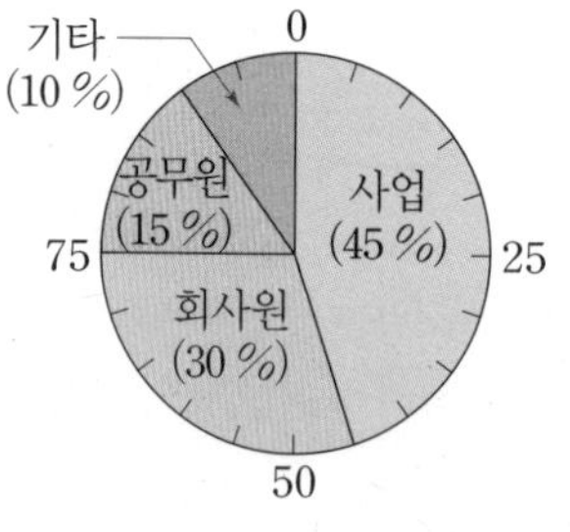

원그래프로 나타내는 방법을 순서대로 정리하면 다음과 같습니다.

① 자료를 보고 각 항목의 백분율을 구합니다.
② 각 항목의 백분율의 합계가 100 %가 되는지 확인합니다.
③ 각 항목이 차지하는 백분율의 크기만큼 선을 그어 원을 나눕니다.
④ 나눈 부분에 각 항목의 내용과 백분율을 씁니다.
⑤ 원그래프의 제목을 씁니다.

띠그래프와 원그래프는 나타내어지는 모양만 다를 뿐, 백분율을 이용하여 비율로 나타낸다는 점에서 같습니다.

원그래프는 전체에 대한 각 부분의 비율을 한눈에 알아보기 쉽고, 각 항목끼리의 비율을 비교하기도 쉽습니다.

여기서 백분율을 구하는 방법을 이용하여 위의 부모님의 직업의 백분율을 직접 구해 봅시다. □ 안에 알맞은 것을 써넣으시오.

사업 : $\frac{135}{300}\times100=45(\%)$, 회사원 : $\frac{90}{300}\times100=30(\%)$

공무원 : $\frac{45}{300}\times100=15(\%)$, 기타 : $\frac{30}{300}\times100=\square(\%)$

답 10

풍산자 비법

원그래프 ⇨ 전체에 대한 각 부분의 비율을 원 모양에 나타낸 그래프

교과서 + 익힘책 유형

[01-07] 수연이네 반 학생들의 혈액형을 조사하여 나타낸 것입니다. 물음에 답하시오.

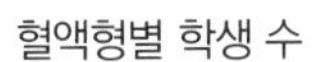

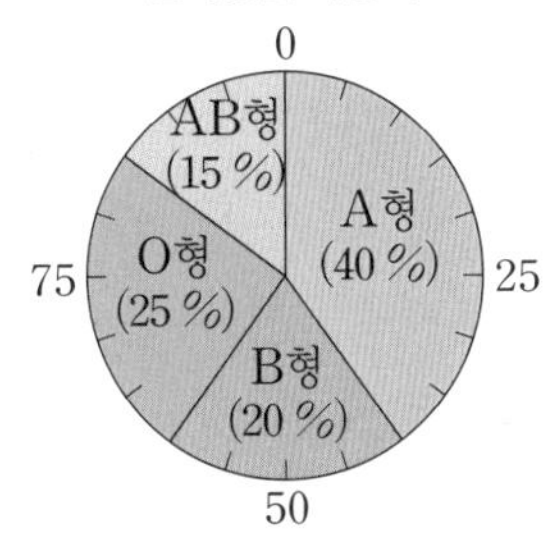

01 위와 같은 그래프를 무엇이라고 하는지 쓰시오.

02 A형인 학생의 비율은 전체의 몇 %인지 쓰시오.

03 B형인 학생의 비율은 전체의 몇 %인지 쓰시오.

04 O형인 학생의 비율은 전체의 몇 %인지 쓰시오.

05 AB형인 학생의 비율은 전체의 몇 %인지 쓰시오.

06 가장 많은 학생들의 혈액형을 쓰시오.

07 가장 적은 학생들의 혈액형을 쓰시오.

[08-10] 태규네 동아리 학생들이 좋아하는 과일을 조사하여 나타낸 표입니다. 물음에 답하시오.

좋아하는 과일별 학생 수

과일	사과	딸기	배	포도	기타	합계
학생 수	18	12	15	9	6	60

08 과일별로 백분율을 구하시오.

(1) 사과

(2) 딸기

(3) 배

(4) 포도

(5) 기타

09 위에서 구한 각 백분율의 합을 구하시오.

10 원그래프를 완성하시오.

좋아하는 과일별 학생 수

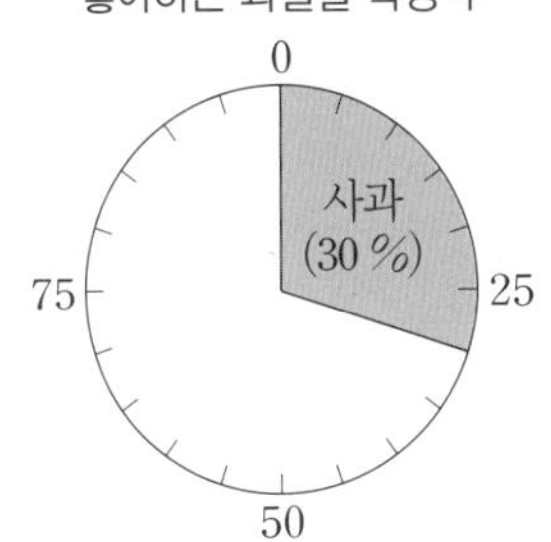

교과서 + 익힘책 응용 유형

[11-12] 세훈이네 반 학생들이 소풍을 가고 싶어 하는 장소를 조사하여 나타낸 원그래프입니다. 물음에 답하시오.

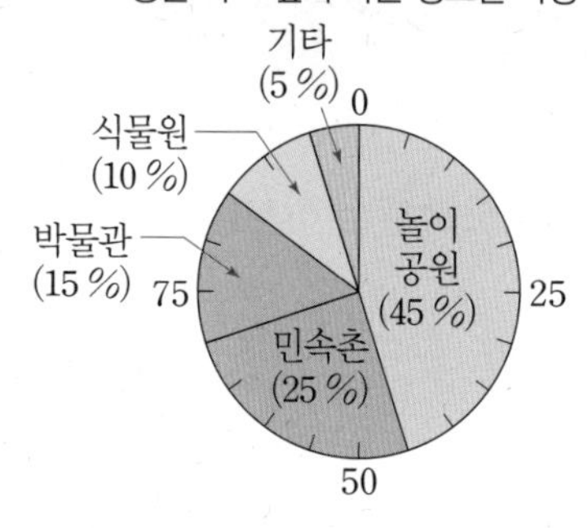

11 가장 많은 학생들이 소풍을 가고 싶어 하는 장소를 쓰시오.

12 놀이공원에 가고 싶어 하는 학생 수는 박물관에 가고 싶어 하는 학생 수의 몇 배인지 구하시오.

13 윤하네 동아리 학생들이 학교에서 가장 좋아하는 시간은 언제인지 조사하여 나타낸 표입니다. 표를 완성하고 원그래프를 그려 보시오.

좋아하는 시간별 학생 수

시간	쉬는 시간	점심 시간	수업 시간	체육 시간	합계
학생 수	15	20	5	10	50
백분율(%)					

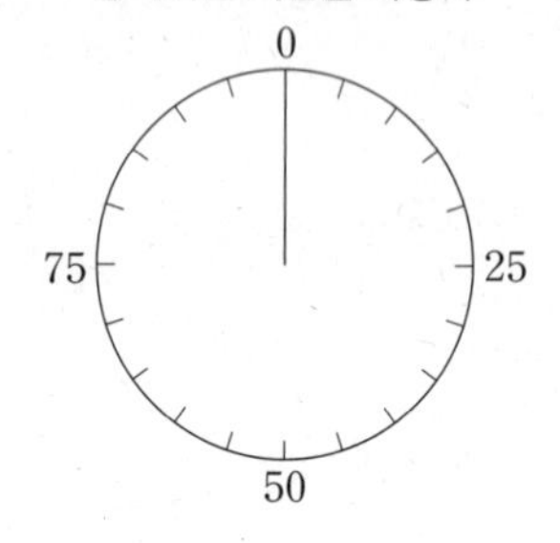

[14-15] 혜주네 반 학생들이 즐겨 보는 TV 프로그램을 조사하여 나타낸 원그래프입니다. 물음에 답하시오.

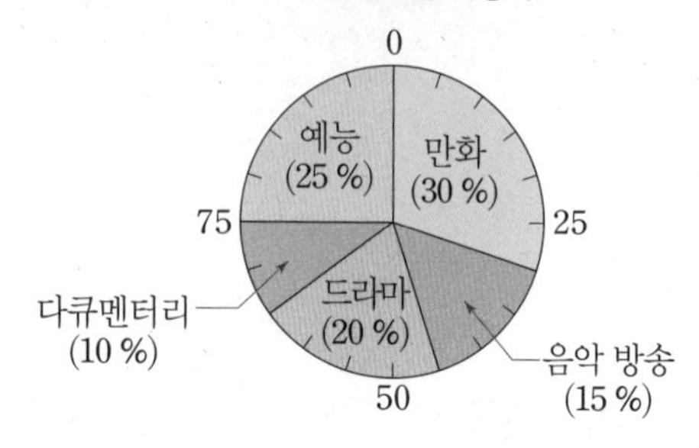

14 가장 적은 학생들이 즐겨 보는 프로그램을 쓰시오.

15 학생들이 적게 보는 순서대로 TV 프로그램 세 가지를 쓰시오.

16 자료를 보고 원그래프를 그려 보시오.

> 현아네 집에서 생산하는 곡물의 생산량을 조사하였더니 쌀이 200 kg, 보리가 280 kg, 콩이 160 kg, 기타가 160 kg이었습니다.

잘 틀리는 유형

[17-20] 윤주네 반 학생들이 좋아하는 간식을 조사하여 나타낸 표입니다. 물음에 답하시오.

좋아하는 간식별 학생 수

간식	햄버거	피자	떡볶이	김밥	기타	합계
학생 수(명)	12	10	8	5	5	40

17 □ 안에 알맞은 수를 써넣으시오.

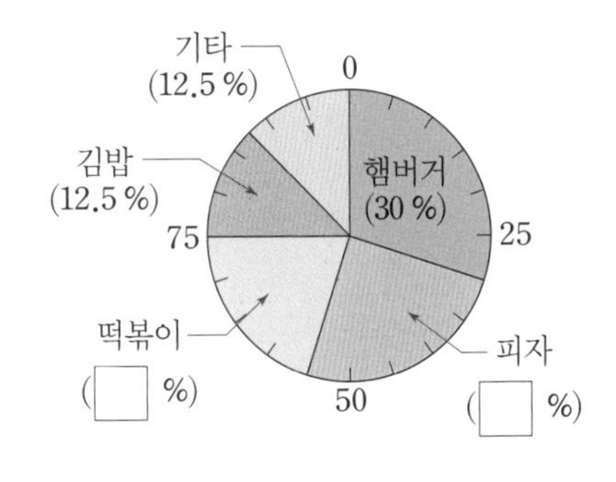

18 햄버거를 좋아하는 학생 수는 김밥을 좋아하는 학생 수의 몇 배인지 구하시오.

19 피자를 좋아하는 학생의 비율은 김밥을 좋아하는 학생의 비율보다 몇 % 더 많은지 구하시오.

20 각 간식의 백분율을 모두 더하면 몇 %인지 구하시오.

[21-23] 다빈이네 마을의 의료 시설 수를 조사하여 나타낸 표입니다. 물음에 답하시오.

의료 시설 수

의료 시설	약국	병원	한의원	기타	합계
시설 수(개)	90		40		200
백분율(%)		30		5	

21 표를 완성하시오.

22 원그래프로 나타내시오.

의료 시설 수

23 약국과 병원의 비율의 차는 몇 %인지 구하시오.

17 그래프 해석하기

우리는 앞 단원에서 띠그래프와 원그래프를 알아보았습니다. 전체에 대한 각 부분의 비율을 띠 모양에 나타낸 그래프를 띠그래프라고 하고, 원 모양에 나타낸 그래프를 원그래프라고 하였습니다.

그렇다면 띠그래프와 원그래프를 보고 어떤 내용을 알 수 있을까요?

영우네 반 학생들이 좋아하는 색깔을 조사하여 띠그래프로 나타내었습니다. 이 띠그래프를 통하여 다음과 같은 내용을 알 수 있습니다.

좋아하는 색깔별 학생 수

0 10 20 30 40 50 60 70 80 90 100(%)

파란색 (40 %) | 초록색 (30 %) | 노란색 (20 %) | 빨간색(10 %)

- 가장 많은 학생들이 좋아하는 색깔은 파란색입니다.
- 초록색을 좋아하는 학생은 전체 학생의 30 %입니다.
- 파란색을 좋아하는 학생의 비율은 노란색을 좋아하는 학생의 비율의 2배입니다.
- 빨간색을 좋아하는 학생이 5명이라면 초록색을 좋아하는 학생은 $5\times3=15$(명)입니다.

지우네 반 학생들이 좋아하는 과목을 조사하여 원그래프로 나타내었습니다.
이 원그래프를 통하여 다음과 같은 내용을 알 수 있습니다.

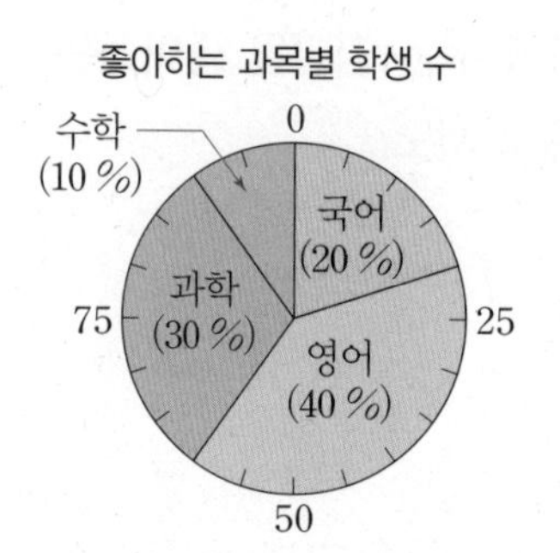

- 가장 적은 학생들이 좋아하는 과목은 수학입니다.
- 과학을 좋아하는 학생은 전체 학생의 30 %입니다.
- 좋아하는 과목 중 비율이 20 % 이하인 과목은 수학과 국어입니다.
- 좋아하는 과목 중 영어 또는 과학을 좋아하는 학생은 전체 학생의 70 %입니다.

띠그래프와 원그래프는 전체에 대한 각 부분의 비율을 한눈에 알아보기 쉽고, 각 항목끼리의 비율을 비교하기 쉽습니다.

풍산자 비법

띠그래프와 원그래프는 모양만 다를 뿐 해석하는 방법은 같다.

교과서 + 익힘책 유형

[01-03] 현선이네 밭에서 기르고 있는 채소가 차지하는 밭의 넓이를 조사하여 나타낸 띠그래프입니다. 물음에 답하시오.

기르고 있는 채소별 밭의 넓이

0 10 20 30 40 50 60 70 80 90 100 (%)

오이 (32 %)	상추 (29 %)	양파 (18 %)	당근 (16 %)	

고추(5 %)

01 오이밭의 넓이는 당근밭의 넓이의 몇 배인지 구하시오.

02 가장 넓은 밭의 넓이와 가장 좁은 밭의 넓이의 차는 전체의 몇 %인지 구하시오.

03 전체 밭의 넓이가 300 m^2라면 상추 또는 당근을 기르고 있는 밭의 넓이는 몇 m^2인지 구하시오.

[04-06] 혜리네 학교 6학년 학생들이 존경하는 위인을 조사하여 나타낸 원그래프입니다. 물음에 답하시오.

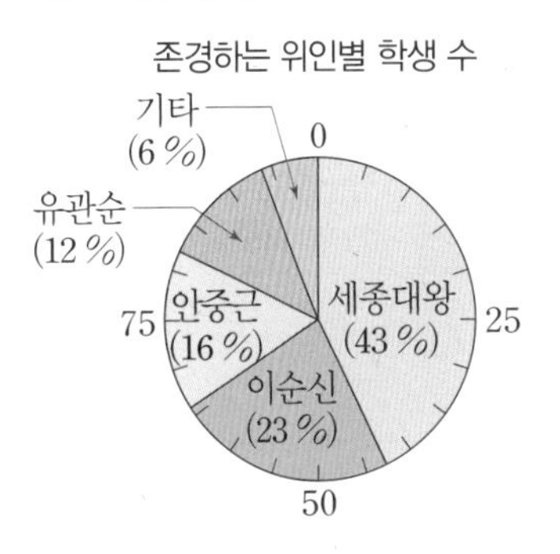

04 두 번째로 많은 학생들이 존경하는 위인을 쓰시오.

05 가장 많은 학생들이 존경하는 위인의 비율과 네 번째로 많은 학생들이 존경하는 위인의 비율의 합은 전체의 몇 %인지 구하시오.

06 혜리네 학교 6학년 전체 학생 수가 200명이라면 이순신 또는 안중근을 존경하는 학생은 몇 명인지 구하시오.

교과서 + 익힘책 응용 유형

07 어느 공장의 가전제품 생산량을 조사하여 나타낸 띠그래프입니다. 냉장고 생산량은 에어컨 생산량의 몇 배인지 구하시오.

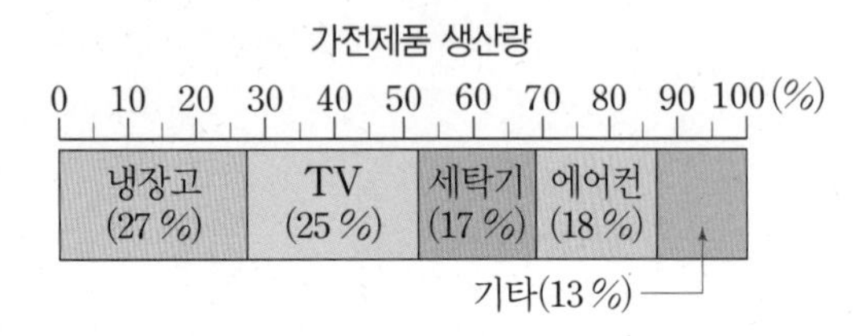

[08-09] 어느 마을에서 키우고 있는 가축을 조사하여 나타낸 띠그래프입니다. 물음에 답하시오.

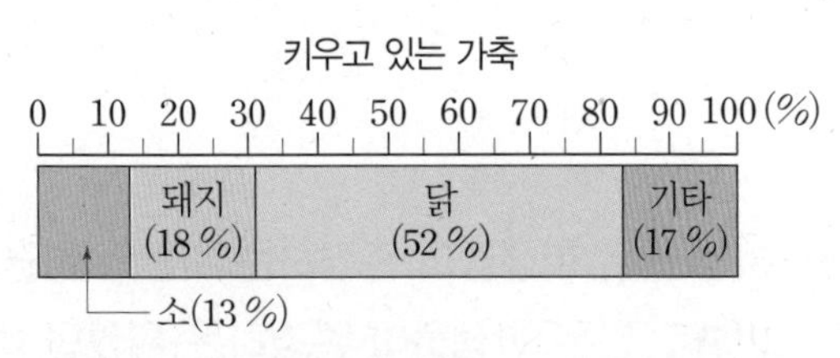

08 돼지가 864마리라면 마을에서 키우고 있는 전체 가축은 모두 몇 마리인지 구하시오.

09 소가 533마리라면 닭은 몇 마리인지 구하시오.

10 어느 과수원의 과일별 재배 넓이를 조사하여 나타낸 원그래프입니다. 사과 재배 넓이는 딸기 재배 넓이의 몇 배인지 구하시오.

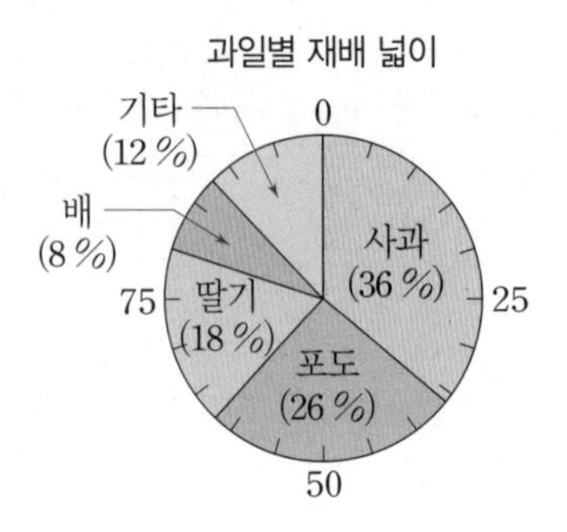

[11-12] 어느 도시에 있는 종류별 상점을 조사하여 나타낸 원그래프입니다. 물음에 답하시오.

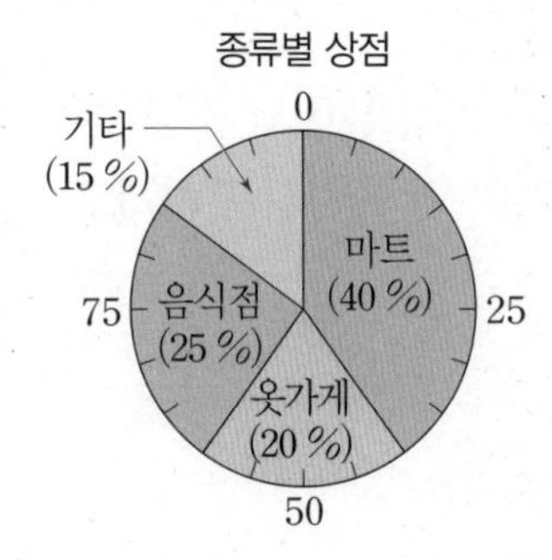

11 옷가게가 16곳이라면 전체 상점은 몇 곳인지 구하시오.

12 음식점이 60곳이 면 마트는 몇 곳인지 구하시오.

잘 틀리는 유형

[13-16] 어느 마을의 곡물별 생산량의 변화를 조사하여 나타낸 띠그래프입니다. 물음에 답하시오.

곡물별 생산량의 변화

	쌀	보리	밀
2016년	32 %	26 %	42 %
2017년	27 %	35 %	38 %
2018년	16 %	52 %	32 %

13 2018년에 밀 생산량의 비율은 쌀 생산량의 비율의 몇 배인지 구하시오.

14 2018년의 보리 생산량은 2016년의 보리 생산량의 몇 배가 되는지 구하시오.

15 2017년의 곡물의 총 생산량이 1500 kg이었다면 2017년의 쌀 생산량은 몇 kg인지 구하시오.

16 2018년의 밀 생산량이 640 kg이었다면 2018년의 곡물의 총 생산량은 몇 kg인지 구하시오.

[17-20] 준형이네 학교의 남녀 학생 수와 남학생이 좋아하는 운동을 조사하여 나타낸 원그래프입니다. 물음에 답하시오.

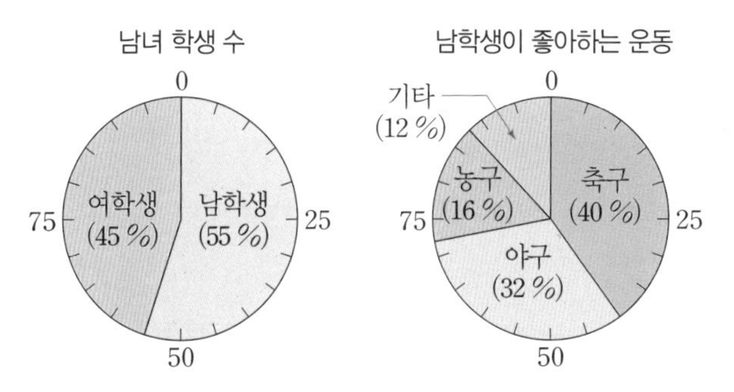

17 축구를 좋아하는 남학생은 전체 학생의 몇 %인지 구하시오.

18 야구를 좋아하는 남학생은 전체 학생의 몇 %인지 구하시오.

19 준형이네 학교의 전체 학생이 3000명이라면 축구를 좋아하는 남학생은 몇 명인지 구하시오.

20 야구를 좋아하는 남학생이 352명이라면 준형이네 학교 전체 학생은 몇 명인지 구하시오.

생활 속의 띠그래프와 원그래프

지금까지 우리는 여러 가지 그래프를 배웠습니다.
이런 그래프가 어디에서 쓰이는지 알아볼까요?

TV나 신문 속의 여러 가지 그래프

TV 뉴스나 신문 속의 기사를 보면 그래프가 많이 있습니다. 이렇게 사용되는 그래프의 대부분이 우리가 배운 막대그래프, 원그래프, 띠그래프로 만들어 졌습니다.
한 번 확인해 볼까요?

주유소에서 파는 휘발유의 가격에는 많은 세금이 있습니다. 휘발유의 공장도 가격에 교통세, 주행세, 교육세, 부가가치세 등의 세금이 포함되어 있습니다.
다음 그래프는 휘발유의 가격을 1440원이라고 할 때 휘발유의 가격에 포함되어 있는 요소들을 막대그래프, 원그래프, 띠그래프로 나타낸 것입니다.

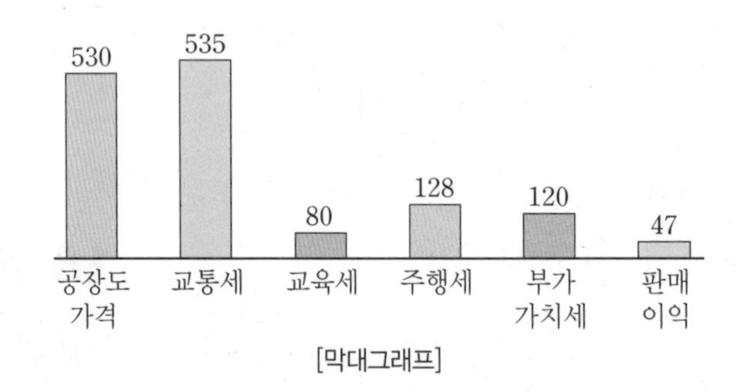

[막대그래프]

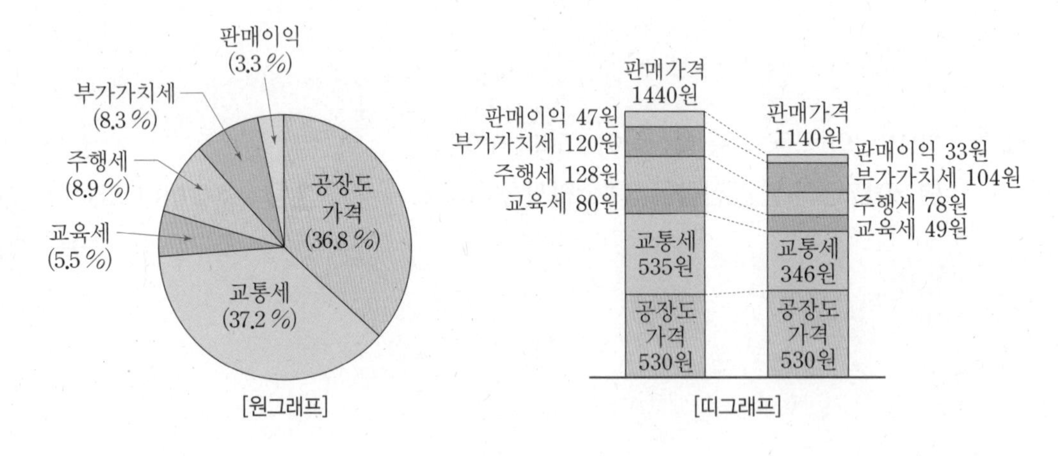

[원그래프] [띠그래프]

막대그래프를 통해 휘발유 가격에 휘발유 공장도 가격과 교통세가 가장 많다는 것을 알 수 있습니다. 원그래프는 휘발유 공장도 가격을 제외하면 약 60 %가 세금이라는 것을 한눈에 볼 수 있답니다. 띠그래프를 통해 교통세를 줄이면 휘발유의 가격이 낮아질 수 있음을 알 수 있습니다.
이와 같이 숫자로 주어지는 자료를 보기 쉽게 표현하기 위해 우리는 여러 가지 그래프를 배웠습니다.

6

직육면체의 부피와 겉넓이

공부할 내용	공부한 날
18 직육면체의 부피	월 일
19 m^3 알아보기	월 일
20 직육면체의 겉넓이	월 일

18 직육면체의 부피

우리는 **[수학 5-1] 6단원** 다각형의 둘레와 넓이에서 여러 가지 평면도형의 넓이 구하는 방법을 알아보았습니다.

- (직사각형의 넓이) =(가로)×(세로)
- (정사각형의 넓이) =(한 변의 길이) ×(한 변의 길이)

그렇다면 입체도형인 직육면체의 부피는 어떻게 구할 수 있을까요?

도형의 부피를 나타낼 때 한 모서리의 길이가 1 cm인 정육면체의 부피를 단위로 사용할 수 있습니다. 이 정육면체의 부피를 **1 cm³**라 쓰고 **1 세제곱센티미터**라고 읽습니다.

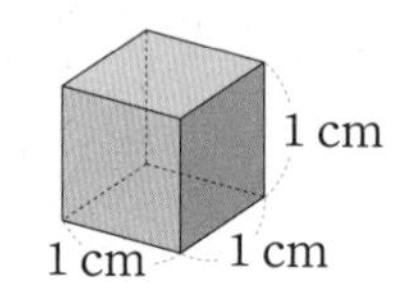

어떤 물건이 공간에서 차지하는 크기를 부피라고 합니다.

1 cm³

직육면체의 부피는 부피가 1 cm³인 쌓기나무의 수를 세어 구하거나 (가로)×(세로)×(높이)로 구할 수 있습니다.

정육면체의 부피는 (한 모서리의 길이)×(한 모서리의 길이)×(한 모서리의 길이)로 구할 수 있습니다.

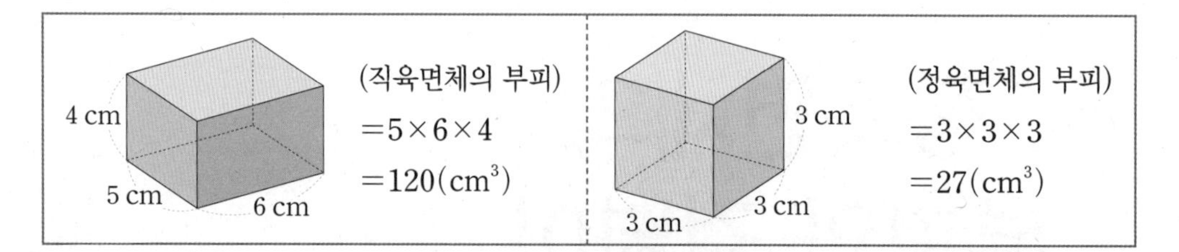

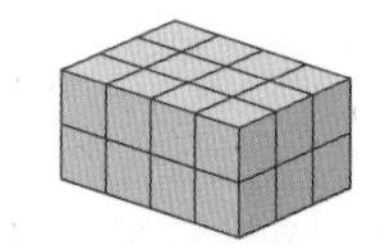

부피가 1 cm³인 쌓기나무가 4×3×2=24(개)이므로 부피는 24 cm³입니다.

여기서 직육면체와 정육면체의 부피는 (한 밑면의 넓이)×(높이)라는 것을 부피가 1 cm³인 쌓기나무를 사용하여 그림을 통해 알아봅시다. □ 안에 알맞은 수를 써넣으시오.

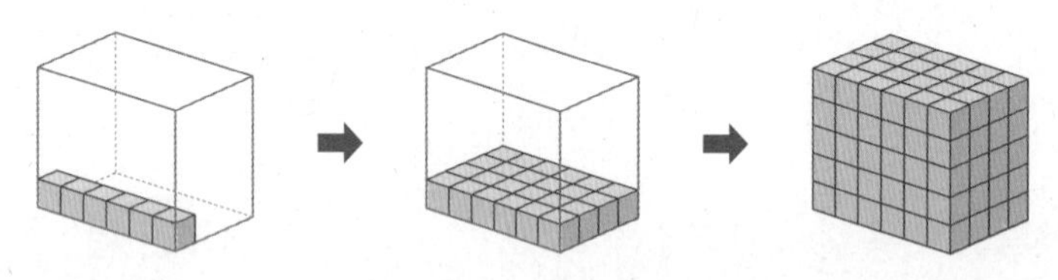

(한 밑면의 넓이)=6×4=24(cm³)이고, 직육면체의 부피는 밑면의 쌓기나무가 높이만큼 쌓여있다고 볼 수도 있으므로 (직육면체의 부피)=24×5=□(cm³)입니다.

답 120

풍산자 비법

❶ (직육면체의 부피)=(가로)×(세로)×(높이)

❷ (정육면체의 부피)=(한 모서리의 길이)×(한 모서리의 길이)×(한 모서리의 길이)

교과서 + 익힘책 유형

01 크기가 같은 정육면체 모양의 쌓기나무로 만든 직육면체입니다. 부피가 더 작은 직육면체의 기호를 쓰시오.

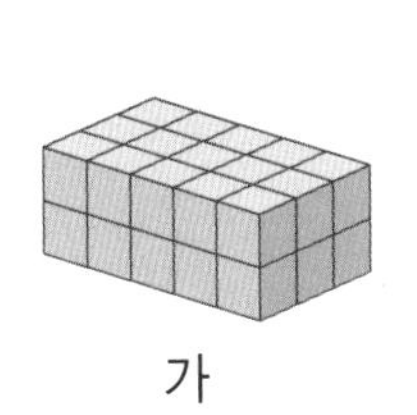
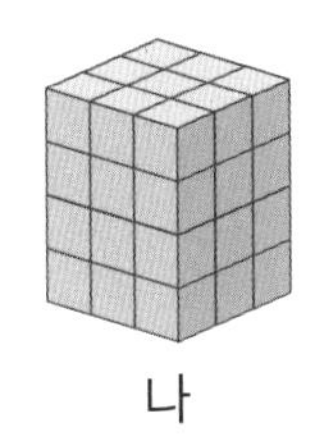

가 나

02 쌓기나무 한 개의 부피가 $1\ \text{cm}^3$일 때, 부피가 큰 것부터 차례대로 기호를 쓰시오.

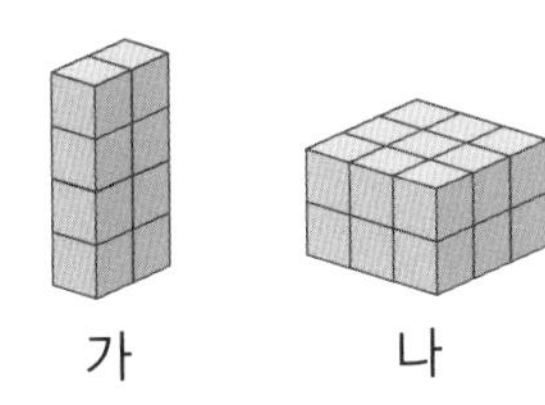
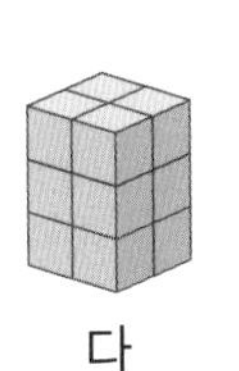

가 나 다

03 밑에 놓인 면의 넓이가 $28\ \text{cm}^2$이고, 높이가 $5\ \text{cm}$인 직육면체의 부피는 몇 cm^3인지 구하시오.

04 부피가 $540\ \text{cm}^3$인 직육면체가 있습니다. □ 안에 알맞은 수를 써넣으시오.

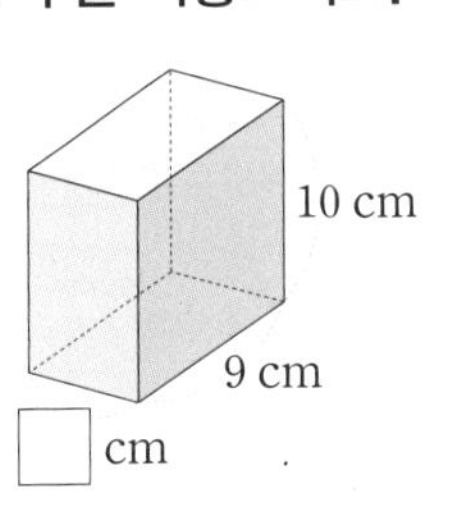

05 부피가 같은 두 직육면체가 있습니다. □ 안에 알맞은 수를 써넣으시오.

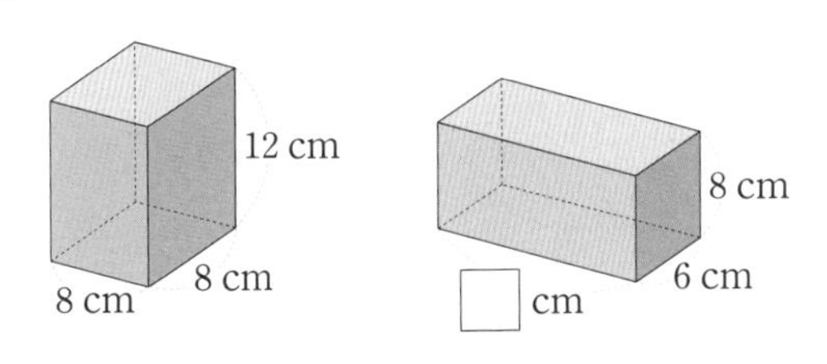

06 직육면체의 부피를 구하시오.

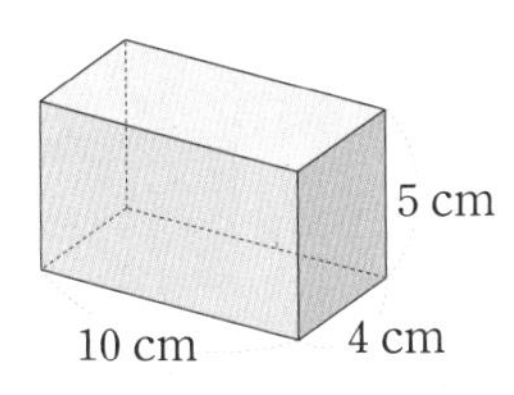

교과서 + 익힘책 응용 유형

07 직육면체와 정육면체 중 어느 것의 부피가 얼마나 더 큰지 구하시오.

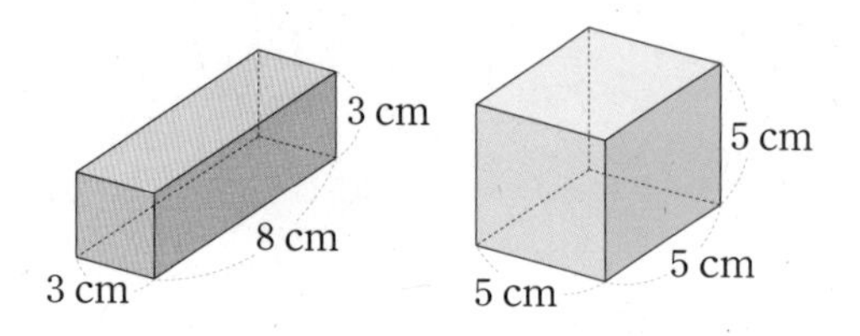

08 부피가 64 cm³인 정육면체입니다. 이 정육면체의 한 모서리의 길이를 구하시오.

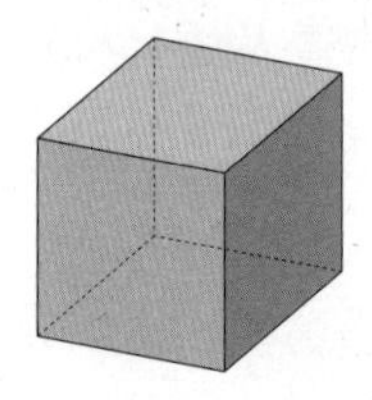

09 전개도로 만들어지는 직육면체의 부피를 구하시오.

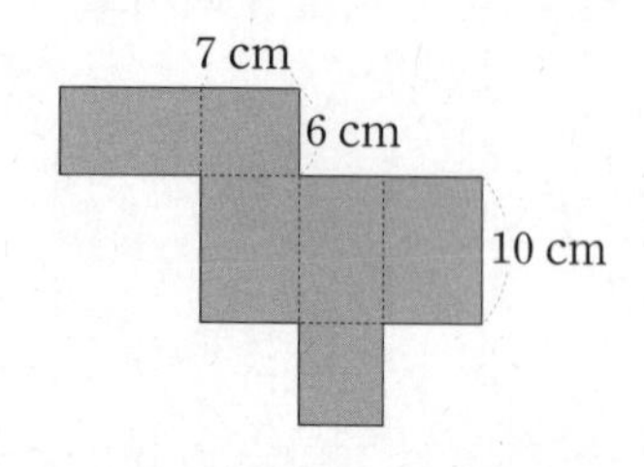

10 한 모서리가 6 cm인 정육면체의 각 모서리를 2배로 늘이면 부피는 몇 배로 늘어나는지 구하시오.

11 한 모서리의 길이가 3 cm인 쌓기나무 8개로 정육면체를 만들었습니다. 이 정육면체의 부피는 몇 cm³인지 구하시오.

12 입체도형의 부피는 몇 cm³인지 구하시오.

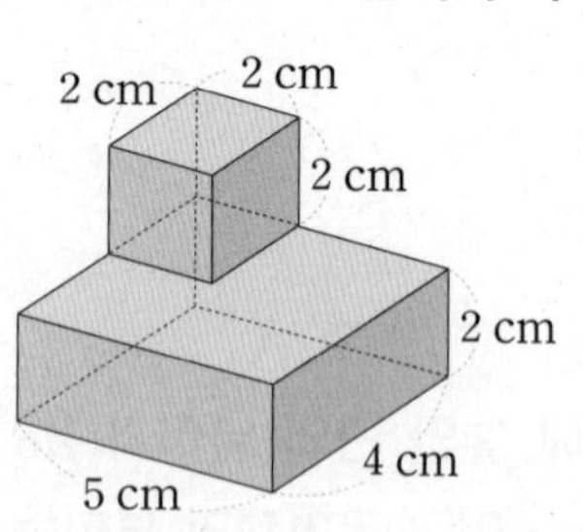

잘 틀리는 유형

13 직육면체와 정육면체 중 어느 것의 부피가 얼마나 더 작은지 구하시오.

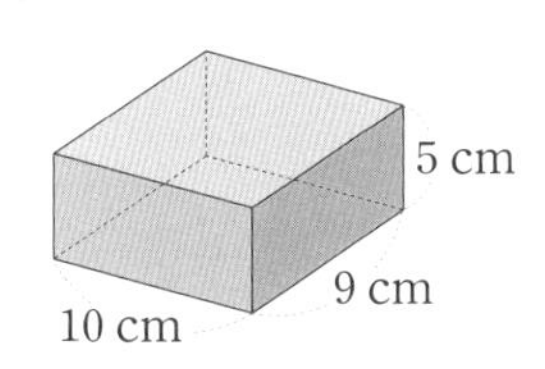

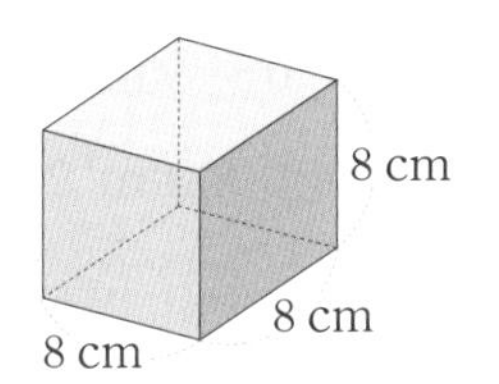

14 다음 중 부피가 가장 큰 것의 기호를 쓰시오.

> ㉠ 한 모서리의 길이가 6 cm인 정육면체
> ㉡ 한 면의 넓이가 49 cm^2인 정육면체
> ㉢ 밑에 놓인 면의 넓이가 24 cm^2, 높이가 14 cm인 직육면체

15 정육면체 모양의 쌓기나무 8개를 쌓아 부피가 216 cm^3인 입체도형을 만들었습니다. 쌓기나무의 한 모서리의 길이는 몇 cm인지 구하시오.

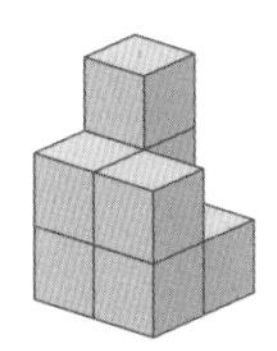

16 그림과 같은 직육면체 모양의 수조에 돌을 넣었더니 돌이 물 속에 완전히 잠기면서 물의 높이가 5 cm만큼 높아졌습니다. 돌의 부피는 몇 cm^3인지 구하시오.

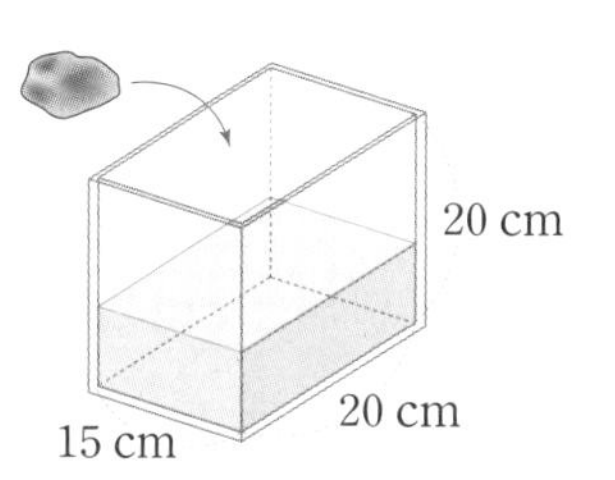

17 연희는 정사각형 6개로 그린 전개도를 이용하여 선물 상자를 만들려고 합니다. 만들려는 선물 상자의 부피는 몇 cm^3인지 구하시오.

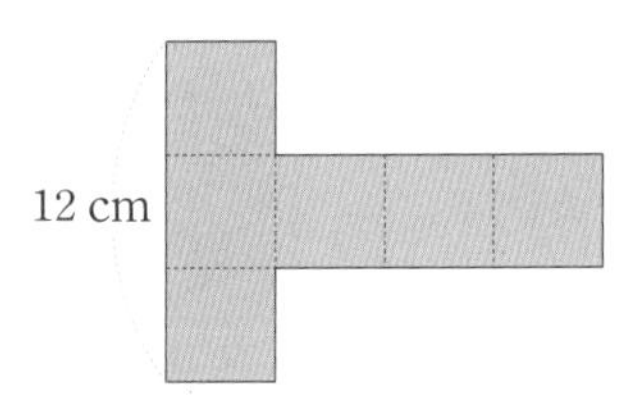

18 직육면체를 잘라서 정육면체를 만들려고 합니다. 만들 수 있는 가장 큰 정육면체의 부피는 몇 cm^3인지 구하시오.

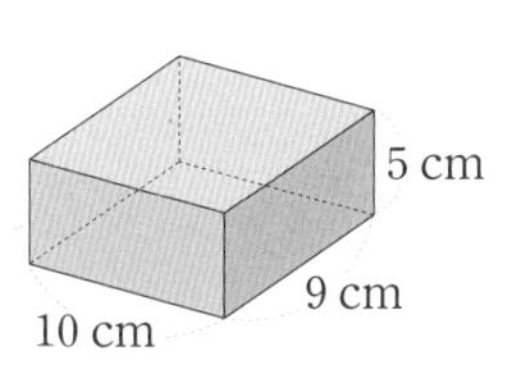

19 m^3 알아보기

우리는 **[수학 5-1] 6단원** 다각형의 둘레와 넓이에서 넓이 단위 cm^2, m^2, km^2를 알아보았습니다. 이 단위들 사이에는 $1\ m^2 = 10000\ cm^2$, $1\ km^2 = 1000000\ m^2$인 관계가 있습니다.

그렇다면 부피 단위 $1\ cm^3$보다 큰 부피 단위는 어떻게 나타낼까요?

도형의 부피를 나타낼 때 한 모서리의 길이가 1 m인 정육면체의 부피를 단위로 사용할 수 있습니다. 이 정육면체의 부피를 **$1\ m^3$**라 쓰고 **1 세제곱미터**라고 읽습니다.

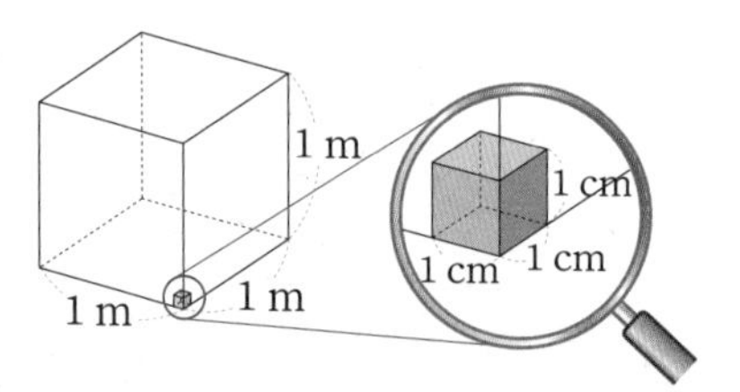

$1\ m^3$ $1\ m^3$

cm³ 단위로 나타내면 수가 너무 커지는 경우 cm³보다 더 큰 단위인 m³ 단위를 사용합니다.

부피 단위들 사이의 관계는 다음과 같습니다.

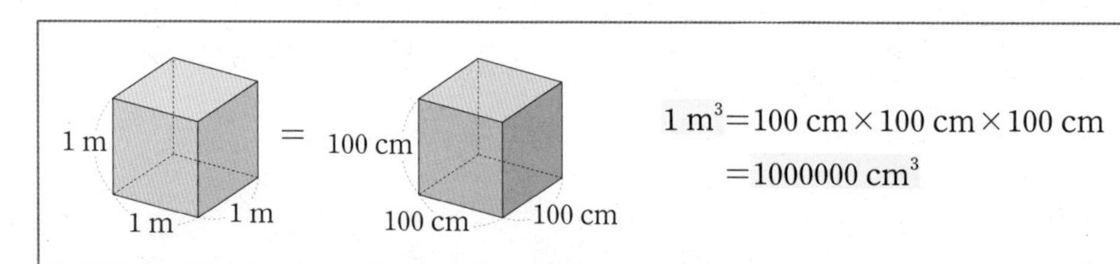

$1\ m^3 = 100\ cm \times 100\ cm \times 100\ cm$
$= 1000000\ cm^3$

한 모서리의 길이가 1 m인 정육면체를 쌓는데 부피가 $1\ cm^3$인 쌓기나무는 $100 \times 100 \times 100$개, 즉 1000000개 필요합니다.

여기서 부피 단위 m^3를 이용하여 직육면체의 부피를 구해 봅시다. □ 안에 알맞은 수를 써넣으시오.

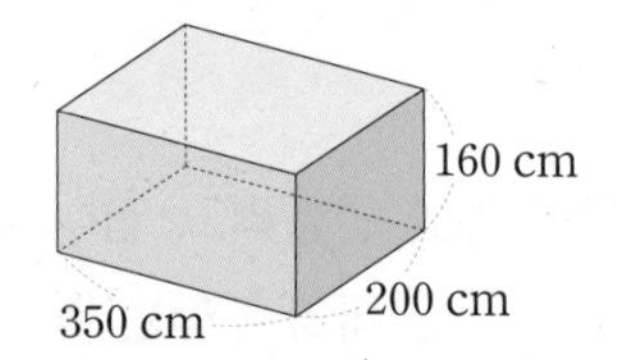

직육면체의 부피는 $350 \times 200 \times 160 = 11200000(cm^3)$입니다.
이때 $1000000\ cm^3 = 1\ m^3$이므로 $11200000\ m^3$는 □ m^3입니다.

답 11.2

350 cm=3.5 m,
200 cm=2 m,
160 cm=1.6 m이므로
직육면체의 부피는
$3.5 \times 2 \times 1.6(m^3)$입니다.

풍산자 비법

$1\ m^3 = 1000000\ cm^3$

교과서 + 익힘책 유형

01 직육면체의 부피는 몇 m^3인지 구하시오.

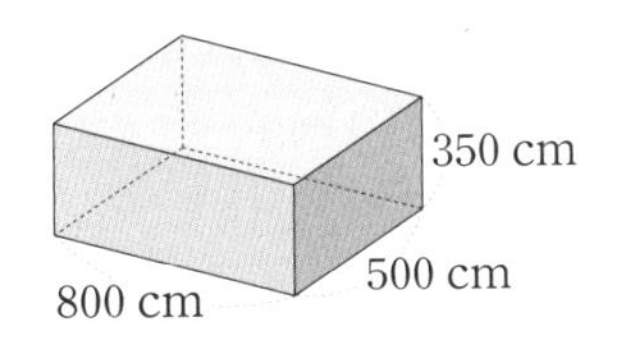

02 직육면체의 부피를 m^3와 cm^3로 각각 구하시오.

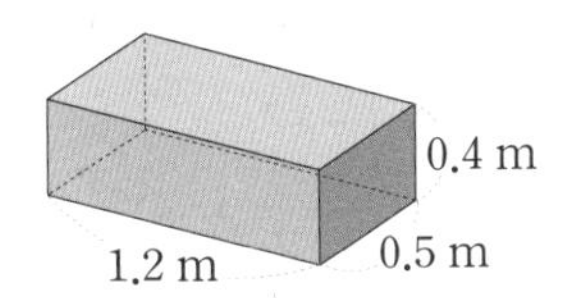

03 다음 중 옳지 않은 것은 어느 것입니까?

① $34000000\ cm^3 = 34\ m^3$

② $19\ m^3 = 19000000\ cm^3$

③ $7.1\ m^3 = 7100000\ cm^3$

④ $10\ m^3 = 10000000\ cm^3$

⑤ $70000\ cm^3 = 0.7\ m^3$

04 정육면체 모양의 컨테이너의 부피는 몇 m^3인지 구하시오.

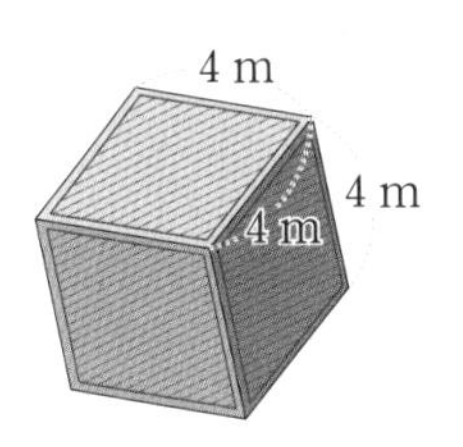

05 전개도를 이용하여 직육면체 모양의 상자를 만들었습니다. 만든 상자의 부피는 몇 m^3인지 구하시오.

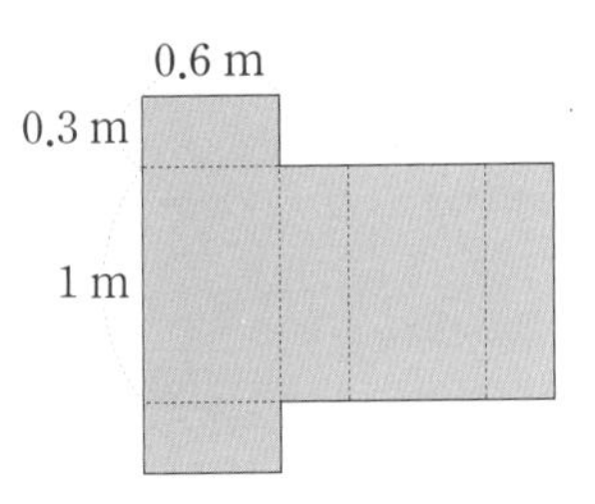

06 □ 안에 알맞은 수를 써넣으시오.

(1) $12\ m^3 =$ □ cm^3

(2) $7060000\ cm^3 =$ □ m^3

(3) □ $m^3 = 50000\ cm^3$

교과서 + 익힘책 응용 유형

07 ○ 안에 $>$, $=$, $<$를 알맞게 써넣으시오.

(1) $5800000\ \text{cm}^3$ ○ $55\ \text{m}^3$

(2) $3.2\ \text{m}^3$ ○ $410000\ \text{cm}^3$

08 직육면체의 부피는 몇 m^3인지 구하시오.

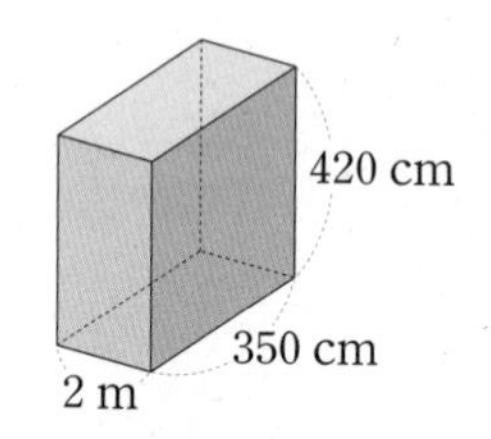

09 전개도를 이용하여 직육면체 모양의 상자를 만들었습니다. 만든 상자의 부피는 몇 m^3인지 구하시오.

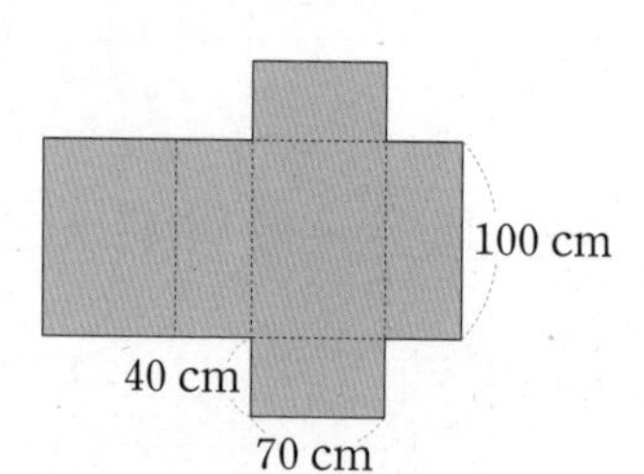

10 부피가 가장 큰 것의 기호를 쓰시오.

㉠ $10.7\ \text{m}^3$
㉡ $9500000\ \text{cm}^3$
㉢ 한 모서리의 길이가 200 cm인 정육면체의 부피
㉢ 가로가 0.8 m, 세로가 3 m, 높이가 8 m인 직육면체의 부피

11 한 모서리의 길이가 8 m인 정육면체의 부피는 한 모서리의 길이가 400 cm인 정육면체의 부피의 몇 배인지 구하시오.

12 한 모서리의 길이가 200 cm인 쌓기나무 27개로 정육면체를 만들었습니다. 이 정육면체의 부피는 몇 m^3인지 구하시오.

잘 틀리는 유형

13 직육면체와 정육면체 중 어느 것의 부피가 얼마나 더 큰지 구하시오.

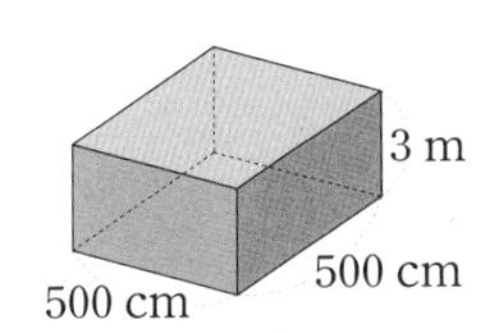

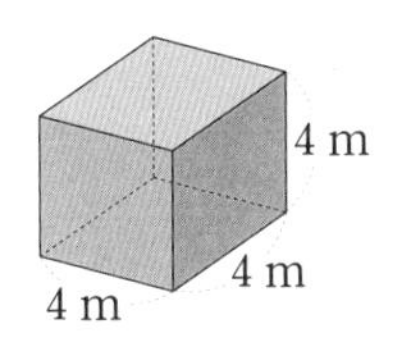

14 부피가 가장 큰 것의 기호를 쓰시오.

㉠ 한 모서리가 500 cm인 정육면체
㉡ 한 면의 넓이가 49 m^2인 정육면체
㉢ 밑에 놓인 면의 넓이가 200 m^2이고 높이가 0.5 m인 직육면체

15 실제 부피에 가장 가까운 것을 찾아 기호를 쓰시오.

㉠ 24 cm^3
㉡ 2400 cm^3
㉢ 2.4 m^3

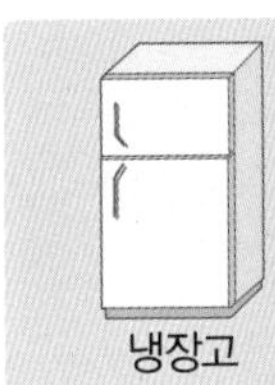

㉠ 16 cm^3
㉡ 1600 cm^3
㉢ 1.6 m^3

16 지현이는 정사각형 6개로 그린 전개도를 이용하여 정육면체를 만들려고 합니다. 만들려는 정육면체의 부피는 몇 m^3인지 구하시오.

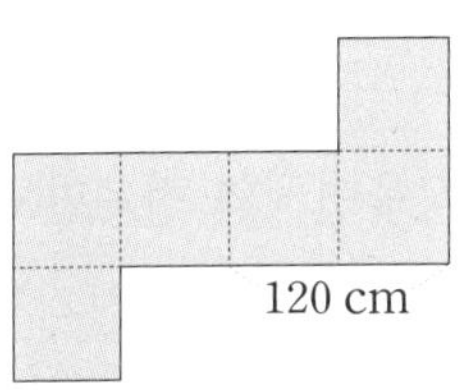

17 입체도형의 부피는 몇 m^3인지 구하시오.

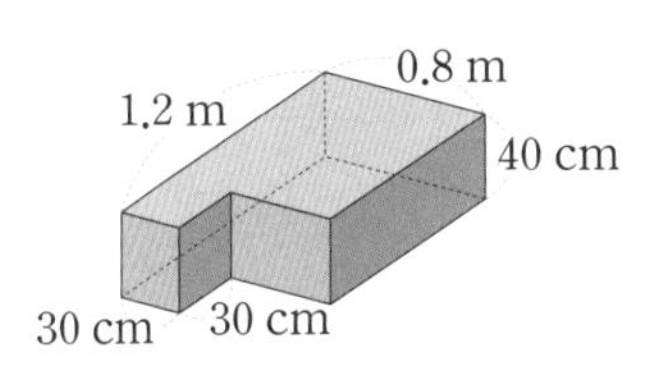

18 가로가 3 m, 세로가 2 m, 높이가 1 m인 직육면체 모양의 창고가 있습니다. 이 창고에 한 모서리의 길이가 20 cm인 정육면체 모양의 상자를 빈틈없이 쌓으려고 합니다. 정육면체 모양의 상자를 모두 몇 개 쌓을 수 있는지 구하시오.

직육면체의 겉넓이

우리는 앞 단원에서 직육면체와 정육면체의 부피 구하는 방법을 알아보았습니다.

- (직육면체의 부피)
=(가로)×(세로)×(높이)
- (정육면체의 부피)
=(한 모서리의 길이)
×(한 모서리의 길이)
×(한 모서리의 길이)

그렇다면 직육면체와 정육면체의 겉넓이는 어떻게 구할 수 있을까요?
직육면체에서 마주 보는 직사각형끼리 합동이고, 합동인 면이 3쌍 있으므로 직육면체의 겉넓이는 한 꼭짓점에서 만나는 세 면의 넓이를 합한 후 2배 하여 구합니다.
정육면체는 여섯 면이 모두 합동이 되어 넓이가 같으므로 정육면체의 겉넓이는 한 면의 넓이를 6배 하여 구합니다.

물체 겉면의 넓이를 겉넓이라고 합니다.

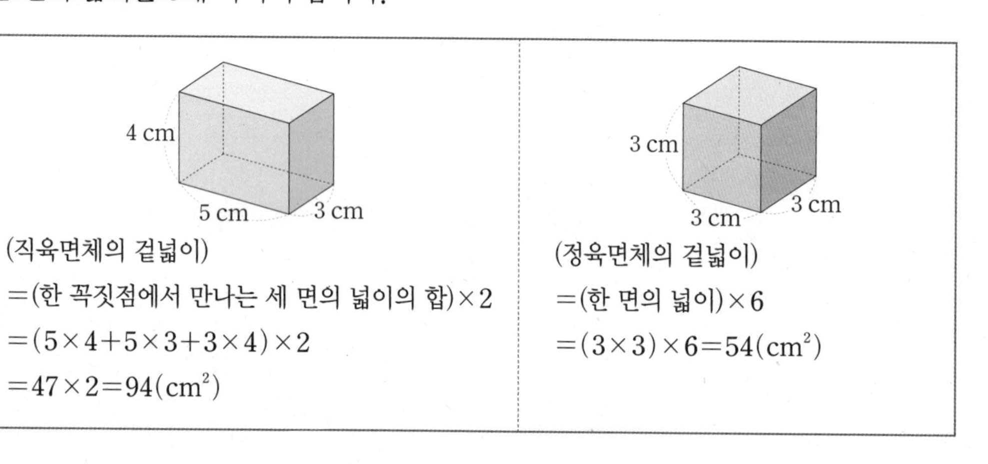

직육면체의 겉넓이는 직육면체 여섯 면의 넓이의 합을 뜻합니다.

여기서 옆면과 두 밑면의 넓이의 합으로 직육면체의 겉넓이를 구해 봅시다. □ 안에 알맞은 수를 써넣으시오.

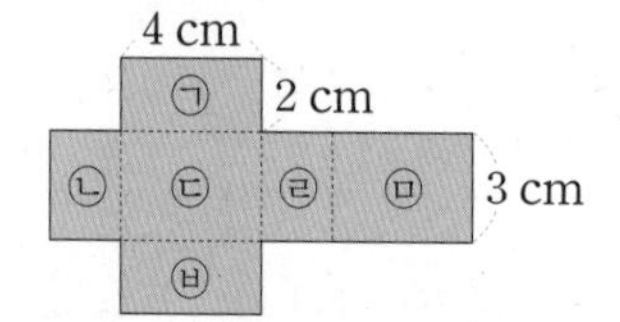

직육면체의 겉넓이는 옆면의 넓이와 두 밑면의 넓이의 합으로도 구할 수 있습니다.
(옆면의 넓이)=$(2+4+2+4)\times3=36(\text{cm}^2)$
(두 밑면의 넓이)=$(4\times2)\times2=16(\text{cm}^2)$
따라서 직육면체의 겉넓이는 $36+16=$□(cm^2)입니다.

답 52

㉠과 ㉥이 합동, ㉡과 ㉣이 합동, ㉢과 ㉤이 합동이므로
직육면체의 겉넓이는
(㉠+㉡+㉢)×2
=$(4\times2+2\times3+4\times3)\times2$
으로 구할 수도 있습니다.

풍산자 비법

❶ (직육면체의 겉넓이)=(한 꼭짓점에서 만나는 세 면의 넓이의 합)×2
❷ (정육면체의 겉넓이)=(한 면의 넓이)×6

교과서 + 익힘책 유형

01 정육면체의 겉넓이를 구하시오.

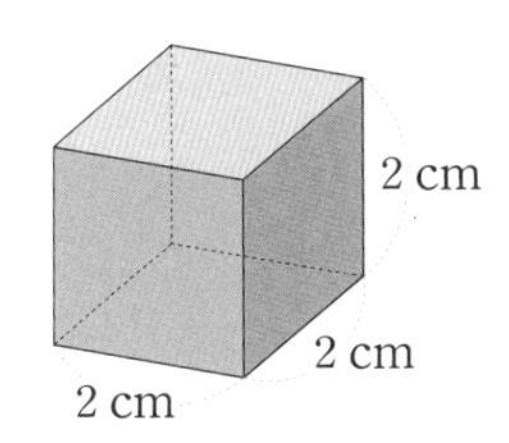

02 전개도를 이용하여 직육면체 모양의 상자를 만들려고 합니다. 만들려는 상자의 겉넓이를 구하시오.

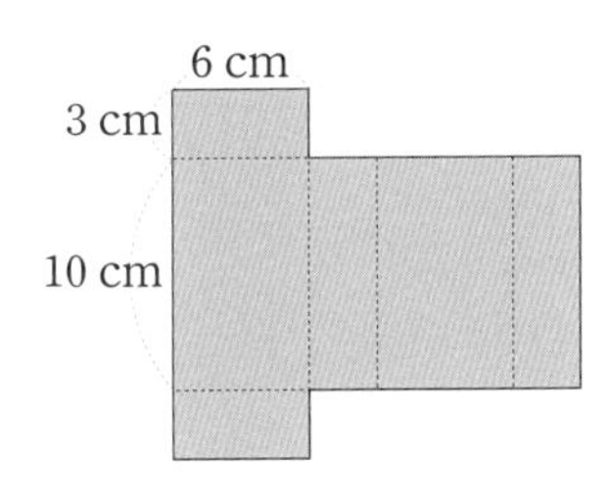

03 전개도를 이용하여 정육면체 모양의 상자를 만들었습니다. 만든 상자의 겉넓이는 몇 cm^2인지 구하시오.

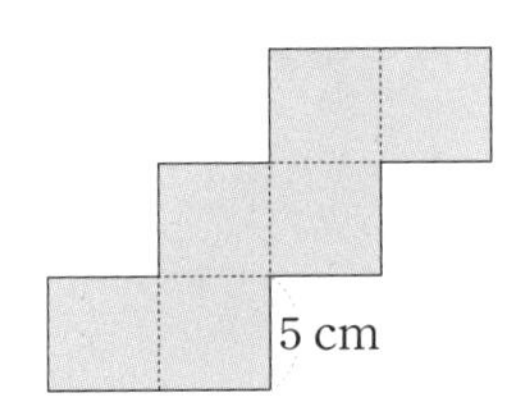

04 두 과자 상자 중 겉넓이가 더 큰 상자는 어느 것인지 구하시오.

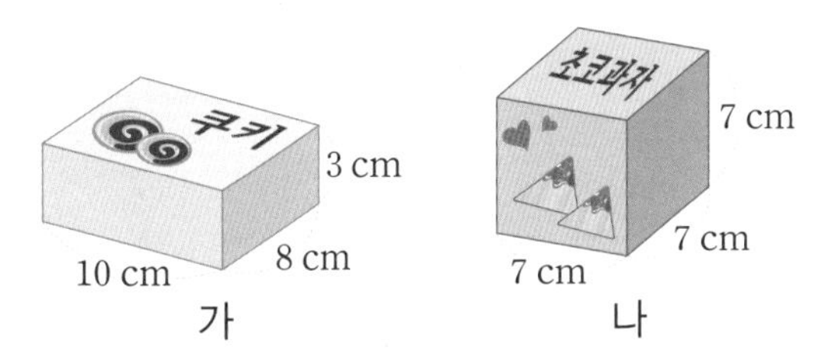

05 겉넓이가 160 cm^2인 직육면체의 전개도 입니다. □ 안에 알맞은 수를 써넣으시오.

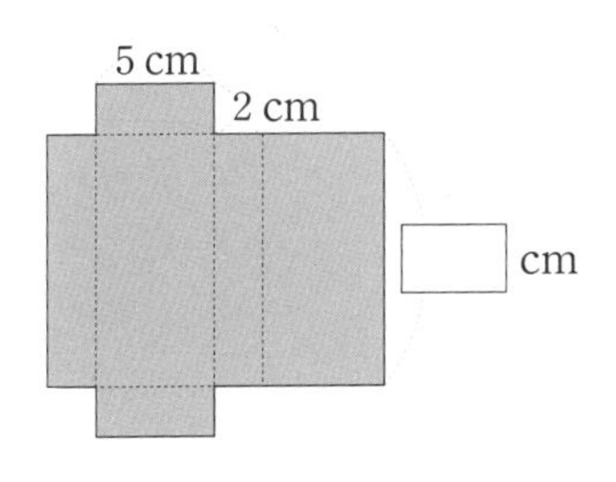

06 왼쪽 직육면체와 겉넓이가 같은 오른쪽 정육면체의 한 모서리의 길이는 몇 cm인지 구하시오.

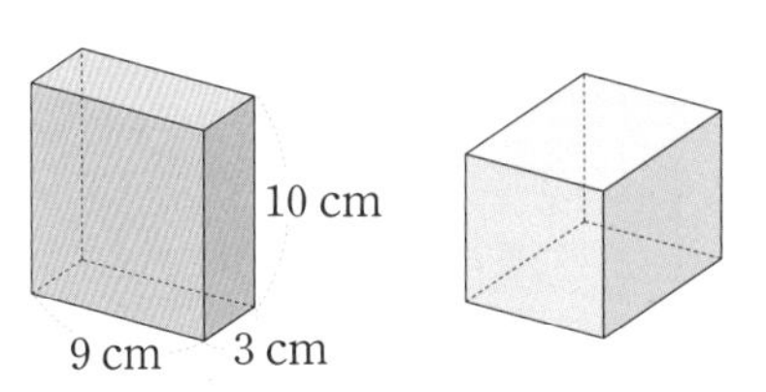

교과서 + 익힘책 응용 유형

07 한 밑면의 넓이가 32 cm^2이고 옆면의 넓이가 72 cm^2인 직육면체의 겉넓이를 구하시오.

08 한 모서리가 3 cm인 정육면체의 모든 모서리의 길이를 2배로 늘이면 겉넓이는 몇 배가 되는지 구하시오.

09 어떤 직육면체를 위와 옆에서 본 모양입니다. 이 직육면체의 겉넓이를 구하시오.

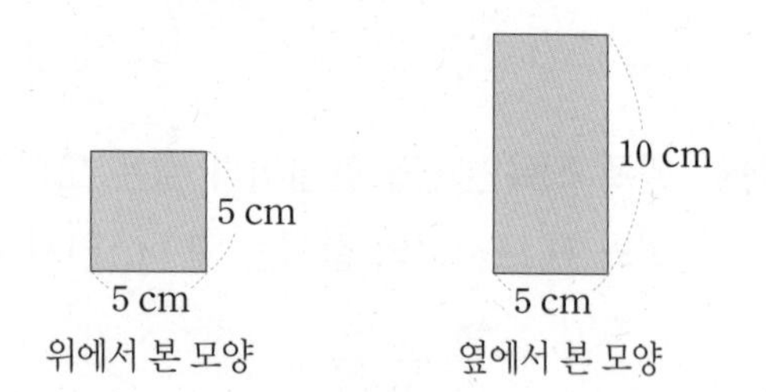

10 한 면의 둘레가 32 cm인 정육면체가 있습니다. 이 정육면체의 겉넓이는 몇 cm^2인지 구하시오.

11 겉넓이가 102 cm^2인 직육면체의 밑에 놓인 면의 세로는 9 cm, 높이는 3 cm입니다. 이 직육면체의 가로는 몇 cm인지 구하시오.

12 쌓기나무 4개를 쌓아서 입체도형을 만든 것입니다. 만든 입체도형의 겉넓이는 몇 cm^2인지 구하시오.

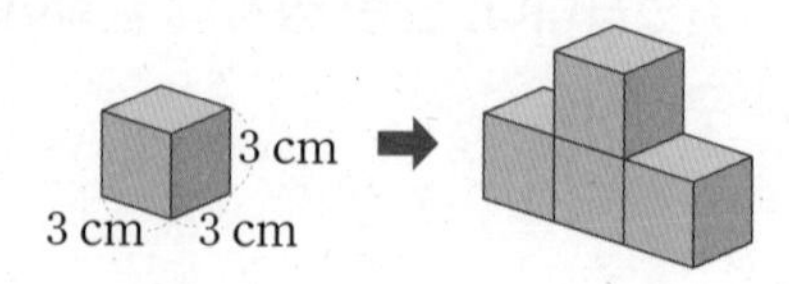

잘 틀리는 유형

13 직육면체의 겉넓이는 $210\ cm^2$입니다. □ 안에 알맞은 수를 써넣으시오.

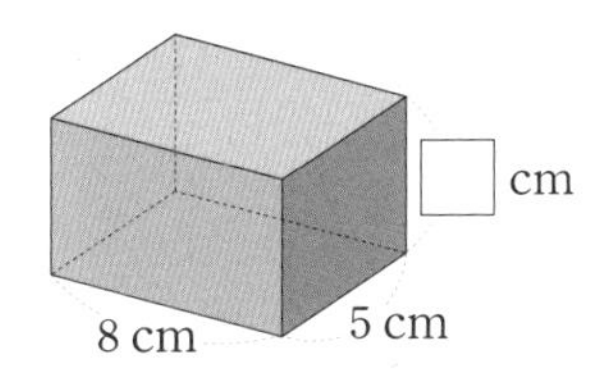

14 겉넓이가 $294\ cm^2$인 정육면체의 한 모서리의 길이는 몇 cm인지 구하시오.

15 겉넓이가 $228\ cm^2$인 직육면체의 전개도입니다. □ 안에 알맞은 수를 써넣으시오.

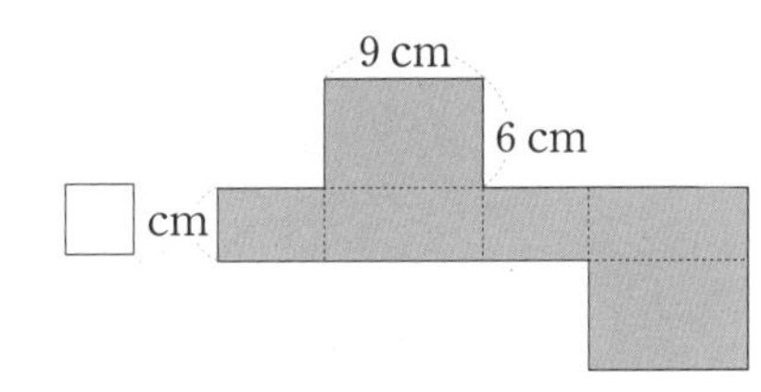

16 직육면체와 겉넓이가 같은 정육면체의 한 모서리의 길이는 몇 cm인지 구하시오.

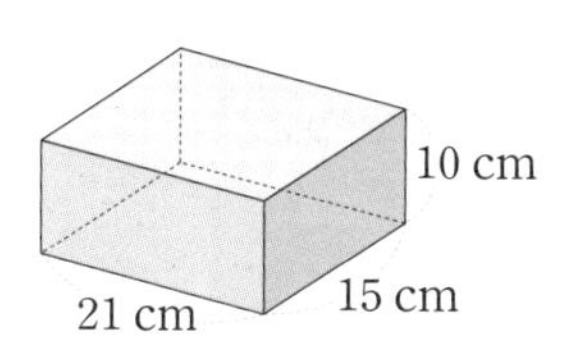

17 한 모서리의 길이가 2 cm인 정육면체 모양의 쌓기나무 30개를 쌓아 만든 입체도형입니다. 이 입체도형의 겉넓이는 몇 cm^2인지 구하시오.

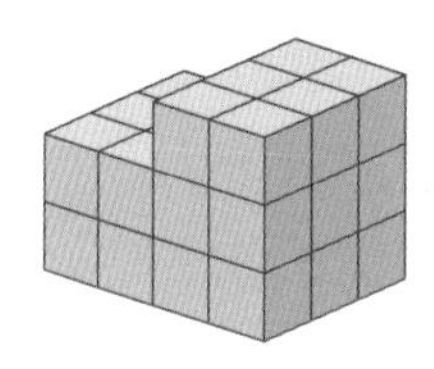

18 직육면체 여러 개를 가로, 세로, 높이로 빈틈없이 쌓아서 정육면체를 만들려고 합니다. 만들 수 있는 가장 작은 정육면체의 겉넓이는 몇 cm^2인지 구하시오.

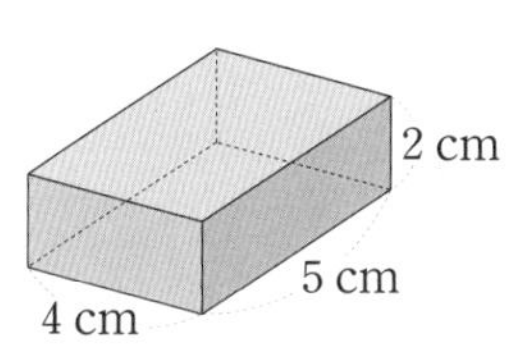

지구를 지켜라! 직육면체의 부피 1 m^3

지금까지 우리는 직육면체의 부피와 겉넓이를 배웠습니다.
가로, 세로, 높이가 1 m인 정육면체의 부피를 1 m^3라고 하는 것도 배웠습니다.
1 m^3를 사용하여 지구의 환경오염에 대하여 알아봅시다.

물 1 m^3의 양은 어느 정도일까요?

지구에서는 매일 200만 톤의 오염된 물이 질병을 퍼트리고 생태계를 파괴하고 있다고 합니다.
200만 톤! 그 양이 얼마나 되는지 실감이 되나요?
1 m^3는 가로, 세로, 높이가 1 m인 정육면체의 부피를 말합니다. 1톤은 그 정육면체에 물을 가득 채웠을 때의 물의 양을 말하고 그 양은 1000 L와 같습니다. 즉, 물 1 m^3의 양은 1000 L와 같습니다. 우리가 알고 있는 2 L짜리 생수병 500개의 양이죠.

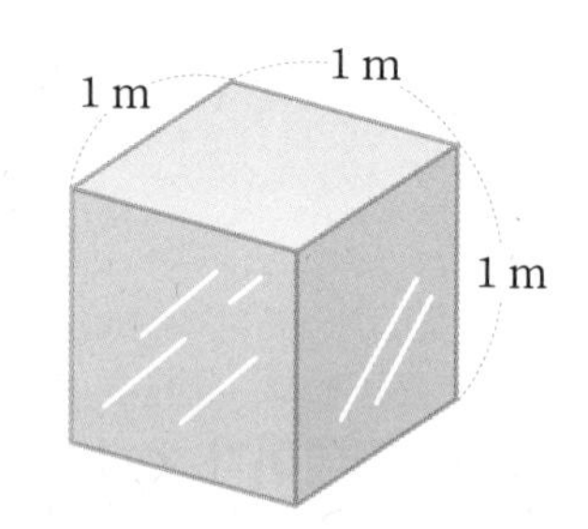

오염된 물은 어떻게 정화할까요?

그렇다면 오렴된 물을 어떻게 하면 깨끗하게 할 수 있을까요?
약품을 넣어 중화시키거나 필터를 이용할 수 있지만 가장 좋은 방법은 오염된 물에 맑은 물을 섞어 희석하는 것입니다.
물은 스스로 깨끗해지려는 특별한 성질을 가지고 있기에 더러워진 물에 깨끗한 물을 많이 넣어주면 더러운 물이 깨끗해집니다. 하지만 문제는 오렴된 물을 희석하기 위해 필요한 깨끗한 물의 양이 엄청나다는데 있습니다.
다음 표를 보면 오렴된 물을 깨끗하게 하는 데 필요한 물의 양을 확인할 수 있습니다.

식품명	버려진 양	희석 배수(물의 양)
요구르트	65 ml	20,108배 (1,307 L)
라면 국물	150 ml	3,760배 (564 L)
우유	200 ml	37,500배 (7500 L)
간장	50 ml	16,600배 (830 L)

정말, 엄청난 양의 물이 필요하지요?
일상 생활에서 물을 오렴시키는 일을 최소화 해야 할 필요성을 절감하게 됩니다.
물을 오염시키지 않을 방법을 각자 한 가지씩 찾아서 실천해 보도록 합시다.

풍산자 라인업

초등 풍산자로 개념을 적용하고 응용하여 연산, 유형, 서술형을 풀면 실력이 탄탄해집니다

처음 배우는 수학을 쉽게 접근하는 초등 풍산자 로드맵

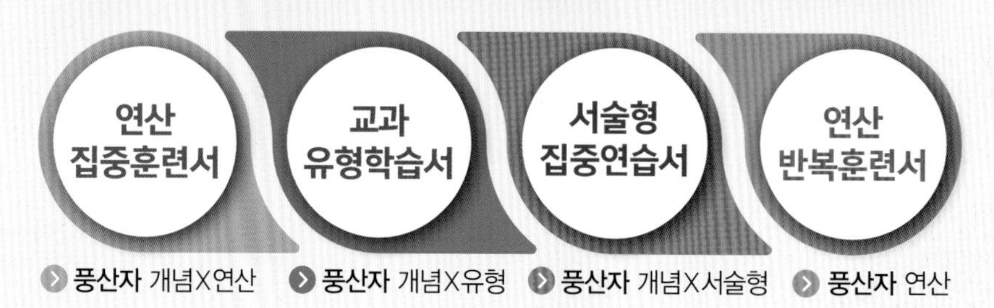

초등 풍산자 교재	하	중하	중	상
연산 집중훈련서 **풍산자 개념X연산**	개념 적용 연산 학습, 기초 실력 완성			
교과 유형학습서 **풍산자 개념X유형**		개념 응용 유형 학습, 기본 실력 완성		
서술형 집중연습서 **풍산자 개념X서술형**		개념 활용 서술형 연습, 문제 해결력 완성		
출시 예정 / 연산 반복훈련서 **풍산자 연산**	연산만 집중적으로 반복 학습			

풍산자

개념 × 유형

정답과 풀이

초등 **수학**

6-1

지학사

교과서 속 유형을 빠르게!

풍산자

개념 × 유형

정답과 풀이

초등 수학 6-1

1 ::: 분수의 나눗셈

01 (자연수)÷(자연수)

p. 07~09

> 교과서 + 익힘책 유형

01 $\frac{1}{5}$ **02** (위에서부터) 1, 4, 3, 3, 4

03 (위에서부터) 3, 3, 3, 3, 8

04 (1) $\frac{1}{15}$ (2) $\frac{6}{11}$ (3) $1\frac{3}{4}$ (4) $4\frac{1}{5}$

05 풀이 참조 **06** 풀이 참조

> 교과서 + 익힘책 응용 유형

07 $2\frac{1}{3}$ cm^2 **08** ③ **09** $\frac{8}{9}$

10 $5\frac{2}{3}$ kg **11** $1\frac{1}{3}$ kg **12** $2\frac{2}{5}$ cm **13** 영우

> 잘 틀리는 유형

14 ④ **15** $\frac{3}{5}$ L **16** $2\frac{1}{3}$ cm

17 나 **18** $1\div7$, $\frac{1}{7}$ **19** $1\frac{1}{3}$ cm

01 답 $\frac{1}{5}$

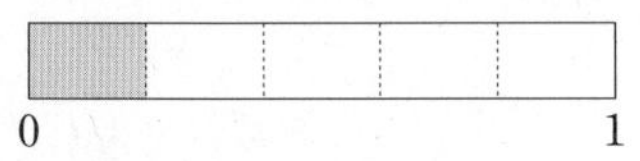

04 답 (1) $\frac{1}{15}$ (2) $\frac{6}{11}$ (3) $1\frac{3}{4}$ (4) $4\frac{1}{5}$

(3) $7\div4=\frac{7}{4}=1\frac{3}{4}$

(4) $21\div5=\frac{21}{5}=4\frac{1}{5}$

05 답 풀이 참조

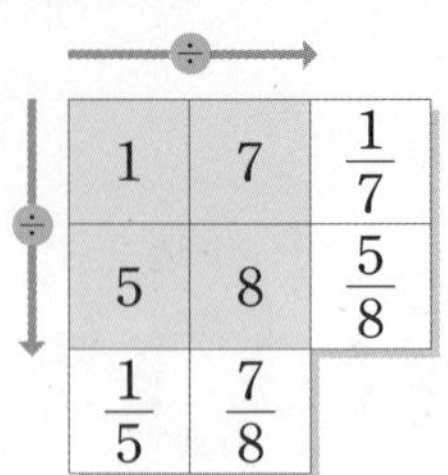

06 답

$6\div9=\frac{6}{9}=\frac{2}{3}$

$9\div12=\frac{9}{12}=\frac{3}{4}$

07 답 $2\frac{1}{3}$ cm^2

$14\div6=\frac{14}{6}=\frac{7}{3}=2\frac{1}{3}$(cm^2)

08 답 ③

$8\div24=\frac{8}{24}=\frac{4}{12}=\frac{2}{6}=\frac{1}{3}$

09 답 $\frac{8}{9}$

어떤 자연수를 □라고 하면

□×9=72, □=8

따라서 바르게 계산하면 $8\div9=\frac{8}{9}$입니다.

10 답 $5\frac{2}{3}$ kg

$17\div3=\frac{17}{3}=5\frac{2}{3}$(kg)

11 답 $1\frac{1}{3}$ kg

$24\div18=\frac{24}{18}=\frac{4}{3}=1\frac{1}{3}$(kg)

12 답 $2\frac{2}{5}$ cm

$12\div5=\frac{12}{5}=2\frac{2}{5}$(cm)

13 답 영우

지우: $15\div4=\frac{15}{4}=\frac{45}{12}$(m^2)

영우: $13\div3=\frac{13}{3}=\frac{52}{12}$(m^2)

따라서 국화를 심을 꽃밭이 더 넓은 모둠은 영우네 모둠입니다.

14 답 ④

① $25\div9=\frac{25}{9}=2\frac{7}{9}$

② $18\div7=\frac{18}{7}=2\frac{4}{7}$

③ $8\div3=\frac{8}{3}=2\frac{2}{3}$

④ $36\div10=\frac{36}{10}=\frac{18}{5}=3\frac{3}{5}$

⑤ $11\div15=\frac{11}{15}$

15 답 $\frac{3}{5}$ L

음료수는 모두 $\frac{3}{4}\times4=3$(L) 있습니다.

따라서 하루에 마셔야 할 음료수는

$3\div5=\frac{3}{5}$(L)입니다.

16 답 $2\frac{1}{3}$ cm

정삼각형 1개를 만드는 데 필요한 철사의 길이는
$28\div4=7$(cm)입니다.
따라서 정삼각형 한 변의 길이는

$7\div3=\frac{7}{3}=2\frac{1}{3}$(cm)입니다.

17 답 나

가: $1\div2=\frac{1}{2}=\frac{2}{4}$(L)

나: $3\div4=\frac{3}{4}$ (L)

따라서 병 나에 물이 더 많습니다.

18 답 $1\div7$, $\frac{1}{7}$

몫이 가장 작으려면 나누어지는 수는 가장 작고, 나누는 수는 가장 커야 합니다.

따라서 나눗셈식은 $1\div7$이고 몫은 $\frac{1}{7}$입니다.

19 답 $1\frac{1}{3}$ cm

정사각형의 둘레는 $2\times4=8$(cm)입니다.
정육각형의 둘레도 8 cm이므로
정육각형의 한 변의 길이는

$8\div6=\frac{8}{6}=\frac{4}{3}=1\frac{1}{3}$(cm)

02 (분수)÷(자연수)

p. 11~13

> 교과서 + 익힘책 유형

01 $\frac{2}{7}$ **02** $\frac{3}{16}$

03 (1) (왼쪽에서부터) 6, 3
(2) (왼쪽에서부터) 12, 12, 4

04 $\frac{11}{27}$ **05** (1) $\frac{2}{3}$ (2) $\frac{3}{40}$ (3) $\frac{4}{21}$ (4) $\frac{7}{60}$

06 풀이 참조

> 교과서 + 익힘책 응용 유형

07 $\frac{5}{48}$ m **08** $\frac{5}{14}$ cm^2 **09** $\frac{13}{50}$ L

10 $\frac{9}{40}$ kg **11** $\frac{71}{160}$ cm **12** $\frac{1}{18}$

> 잘 틀리는 유형

13 (1) 8 (2) 4 **14** ㉠: $\frac{101}{120}$ ㉡: $1\frac{7}{120}$

15 $\frac{5}{8}\div3$ **16** 5 **17** $\frac{5}{63}$ **18** $\frac{3}{20}$

01 답 $\frac{2}{7}$

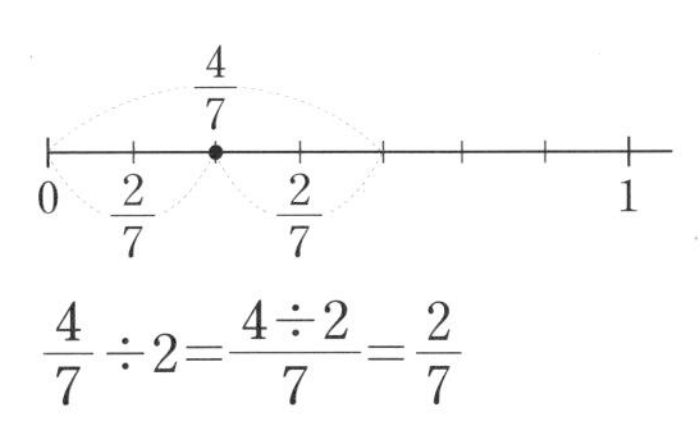

$\frac{4}{7}\div2=\frac{4\div2}{7}=\frac{2}{7}$

02 답 $\frac{3}{16}$

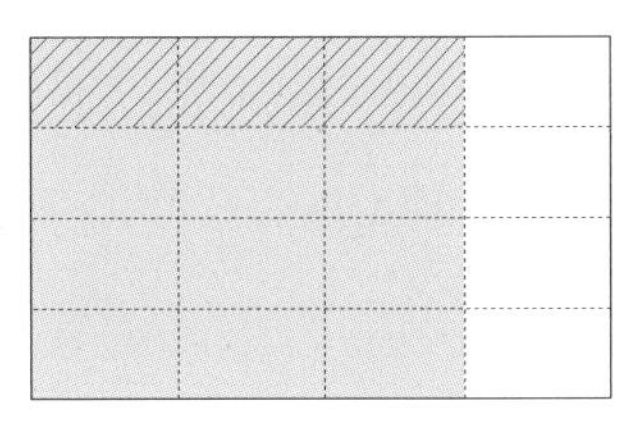

$\frac{3}{4}\div4=\frac{12}{16}\div4=\frac{12\div4}{16}=\frac{3}{16}$

04 답 $\frac{11}{27}$

$\frac{11}{9}\div3=\frac{33}{27}\div3=\frac{33\div3}{27}=\frac{11}{27}$

05 답 (1) $\frac{2}{3}$ (2) $\frac{3}{40}$ (3) $\frac{4}{21}$ (4) $\frac{7}{60}$

(1) $\frac{8}{3}\div4=\frac{8}{3}\times\frac{1}{4}=\frac{8}{12}=\frac{2}{3}$

(2) $\frac{3}{10}\div4=\frac{3}{10}\times\frac{1}{4}=\frac{3}{40}$

(3) $\frac{4}{7}\div3=\frac{4}{7}\times\frac{1}{3}=\frac{4}{21}$

(4) $\frac{7}{6}\div10=\frac{7}{6}\times\frac{1}{10}=\frac{7}{60}$

06 답 (선 잇기)

$\frac{6}{7}\div4=\frac{6}{7}\times\frac{1}{4}=\frac{6}{28}=\frac{3}{14}$

$\frac{27}{5}\div9=\frac{27}{5}\times\frac{1}{9}=\frac{27}{45}=\frac{3}{5}$

$\frac{24}{11}\div8=\frac{24}{11}\times\frac{1}{8}=\frac{24}{88}=\frac{3}{11}$

07 답 $\frac{5}{48}$ m

$\frac{5}{8}\div6=\frac{5}{8}\times\frac{1}{6}=\frac{5}{48}$(m)

08 답 $\frac{5}{14}$ cm^2

$\frac{15}{7}\div6=\frac{15}{7}\times\frac{1}{6}=\frac{15}{42}=\frac{5}{14}$(cm^2)

09 답 $\frac{13}{50}$ L

$\frac{13}{10}\div5=\frac{13}{10}\times\frac{1}{5}=\frac{13}{50}$(L)

10 답 $\frac{9}{40}$ kg

$\frac{9}{10}\div4=\frac{9}{10}\times\frac{1}{4}=\frac{9}{40}$(kg)

11 답 $\frac{71}{160}$ cm

(직사각형의 넓이)=(가로)×(세로)이므로

세로를 □라고 하면

$4\times\square=\frac{71}{40}$

$\square=\frac{71}{40}\div4=\frac{71}{40}\times\frac{1}{4}=\frac{71}{160}$(cm)

12 답 $\frac{1}{18}$

어떤 수를 □라고 하면

$\square\times8=\frac{4}{9}$

$\square=\frac{4}{9}\div8=\frac{4}{9}\times\frac{1}{8}=\frac{4}{72}=\frac{1}{18}$

13 답 (1) 8 (2) 4

(1) $\frac{\square}{3}\div6=\frac{\square}{3}\times\frac{1}{6}=\frac{\square}{18}=\frac{4}{9}=\frac{8}{18}$, $\square=8$

(2) $\frac{7}{8}\div\square=\frac{7}{8\times\square}=\frac{7}{32}$, $\square=4$

14 답 ㉠: $\frac{101}{120}$, ㉡: $1\frac{7}{120}$

수직선에서 한 칸의 길이는 모두 같습니다.

(한 칸의 길이)$=\left(\frac{19}{20}-\frac{5}{8}\right)\div3=\frac{38-25}{40}\times\frac{1}{3}$

$=\frac{13}{40}\times\frac{1}{3}=\frac{13}{120}$

㉠: $\frac{19}{20}-\frac{13}{120}=\frac{114-13}{120}=\frac{101}{120}$

㉡: $\frac{19}{20}+\frac{13}{120}=\frac{114+13}{120}=\frac{127}{120}=1\frac{7}{120}$

15 답 $\frac{5}{8}\div3$

$\frac{3}{8}\div5=\frac{3}{8}\times\frac{1}{5}=\frac{3}{40}=\frac{9}{120}$

$\frac{5}{8}\div3=\frac{5}{8}\times\frac{1}{3}=\frac{5}{24}=\frac{25}{120}$

따라서 몫이 더 큰 나눗셈식은 $\frac{5}{8}\div3$입니다.

16 답 5

$\frac{7}{2}\div3\times5=\frac{7}{2}\times\frac{1}{3}\times5=\frac{35}{6}=5\frac{5}{6}$

$5\frac{5}{6}$보다 작은 자연수는 1, 2, 3, 4, 5이고 이 중 가장 큰 수는 5입니다.

17 답 $\frac{5}{63}$

분자가 가장 작은 수, 분모가 가장 큰 수일 때 가장 작은 진분수가 됩니다.

따라서 수 카드 5, 7, 9로 가장 작은 진분수를 만들면 $\frac{5}{9}$이고, 나머지 수 카드의 수 7로 나누면

$\frac{5}{9} \div 7 = \frac{5}{9} \times \frac{1}{7} = \frac{5}{63}$입니다.

18 답 $\frac{3}{20}$

숫자 3, 4, 5를 이용하여 만들 수 있는 나눗셈식은 다음과 같습니다.

$\frac{3}{4} \div 5 = \frac{3}{4} \times \frac{1}{5} = \frac{3}{20}$

$\frac{3}{5} \div 4 = \frac{3}{5} \times \frac{1}{4} = \frac{3}{20}$

$\frac{4}{3} \div 5 = \frac{4}{3} \times \frac{1}{5} = \frac{4}{15}$

$\frac{4}{5} \div 3 = \frac{4}{5} \times \frac{1}{3} = \frac{4}{15}$

$\frac{5}{4} \div 3 = \frac{5}{4} \times \frac{1}{3} = \frac{5}{12}$

$\frac{5}{3} \div 4 = \frac{5}{3} \times \frac{1}{4} = \frac{5}{12}$

이 중 계산 결과가 가장 작은 나눗셈식의 몫은 $\frac{3}{20}$입니다.

03 (대분수)÷(자연수)

p. 15~17

> 교과서 + 익힘책 유형

01 풀이 참조 **02** $\frac{6}{7}$ **03** $\frac{11}{12}$배 **04** $\frac{7}{32}$

05 $\frac{13}{14}$ **06** $4\frac{3}{8}$ cm

> 교과서 + 익힘책 응용 유형

07 $\frac{1}{5}$ kg **08** $1\frac{11}{16}$ m^2 **09** 2

10 $1\frac{19}{21}$ **11** $2\frac{9}{10}$ km

12 $1\frac{1}{4}$ m **13** ㉣

> 잘 틀리는 유형

14 $\frac{11}{15}$ **15** $9\frac{1}{21}$분 **16** $\frac{7}{27}$

17 $\frac{13}{16}$ m **18** $\frac{6}{7}$ **19** $2\frac{2}{5}$ cm

01 답 풀이 참조

[방법 1]

$1\frac{3}{4} \div 2 = \frac{7}{4} \div 2 = \frac{\boxed{14}}{8} \div 2$

$= \frac{\boxed{14} \div 2}{8} = \frac{\boxed{7}}{\boxed{8}}$

[방법 2]

$1\frac{3}{4} \div 2 = \frac{7}{4} \div 2 = \frac{7}{4} \times \frac{1}{\boxed{2}} = \frac{\boxed{7}}{\boxed{8}}$

02 답 $\frac{6}{7}$

$6 \times \square = 5\frac{1}{7}$

$\square = 5\frac{1}{7} \div 6 = \frac{36}{7} \times \frac{1}{6} = \frac{6}{7}$

03 답 $\frac{11}{12}$배

$1\frac{5}{6} \div 2 = \frac{11}{6} \times \frac{1}{2} = \frac{11}{12}$(배)

04 답 $\frac{7}{32}$

어떤 수를 □라고 하면

$\square\times4=3\frac{1}{2}$

$\square=3\frac{1}{2}\div4=\frac{7}{2}\times\frac{1}{4}=\frac{7}{8}$

따라서 바르게 계산하면

$\frac{7}{8}\div4=\frac{7}{8}\times\frac{1}{4}=\frac{7}{32}$ 입니다.

05 답 $\frac{13}{14}$

$1\frac{6}{7}\div2=\frac{13}{7}\div2=\frac{26}{14}\div2=\frac{26\div2}{14}=\frac{13}{14}$

06 답 $4\frac{3}{8}$ cm

(삼각형의 넓이)=(가로)×(세로)÷2이므로

$8\frac{3}{4}=4\times(\text{높이})\div2$

$=4\times(\text{높이})\times\frac{1}{2}$

$=(\text{높이})\times2$

$(\text{높이})=8\frac{3}{4}\div2=\frac{35}{4}\times\frac{1}{2}=\frac{35}{8}=4\frac{3}{8}(\text{cm})$

07 답 $\frac{1}{5}$ kg

$1\frac{6}{15}\div7=\frac{21}{15}\times\frac{1}{7}=\frac{21}{105}=\frac{1}{5}(\text{kg})$

08 답 $1\frac{11}{16}$ m^2

$6\frac{3}{4}\div4=\frac{27}{4}\times\frac{1}{4}=\frac{27}{16}=1\frac{11}{16}(\text{m}^2)$

09 답 2

$6\frac{2}{7}\div6=\frac{44}{7}\times\frac{1}{6}=\frac{44}{42}=\frac{22}{21}=1\frac{1}{21}$

따라서 $1\frac{1}{21}$ 보다 큰 자연수 중에서 가장 작은 수는 2입니다.

10 답 $1\frac{19}{21}$

(마름모의 넓이)=(한 대각선의 길이)
×(다른 대각선의 길이)÷2

이므로

$5\frac{5}{7}=6\times\square\div2=6\times\square\times\frac{1}{2}=\square\times3$

$\square=5\frac{5}{7}\div3=\frac{40}{7}\times\frac{1}{3}=\frac{40}{21}=1\frac{19}{21}$

11 답 $2\frac{9}{10}$ km

$8\frac{7}{10}\div3=\frac{87}{10}\times\frac{1}{3}=\frac{87}{30}=\frac{29}{10}=2\frac{9}{10}(\text{km})$

12 답 $1\frac{1}{4}$ m

$3\frac{3}{4}\div3=\frac{15}{4}\times\frac{1}{3}=\frac{15}{12}=\frac{5}{4}=1\frac{1}{4}(\text{m})$

13 답 ㉣

㉠ $6\frac{3}{7}\div6=\frac{45}{7}\times\frac{1}{6}=\frac{45}{42}=\frac{15}{14}=1\frac{1}{14}$

㉡ $5\frac{1}{2}\div5=\frac{11}{2}\times\frac{1}{5}=\frac{11}{10}=1\frac{1}{10}$

㉢ $1\frac{5}{9}\div7=\frac{14}{9}\times\frac{1}{7}=\frac{14}{63}=\frac{2}{9}$

㉣ $2\frac{6}{7}\div8=\frac{20}{7}\times\frac{1}{8}=\frac{20}{56}=\frac{5}{14}$

따라서 계산 결과가 잘못된 것은 ㉣입니다.

14 답 $\frac{11}{15}$

어떤 수를 □라고 하면

$\square\times4\times3=6\frac{3}{5}$

$\square=6\frac{3}{5}\div12=\frac{33}{5}\times\frac{1}{12}=\frac{33}{60}=\frac{11}{20}$

따라서 바르게 계산하면

$\frac{11}{20}\times4\div3=\frac{11}{20}\times4\times\frac{1}{3}=\frac{11}{15}$ 입니다.

15 답 $9\frac{1}{21}$ 분

이 자동차가 1 km를 달리는데 걸린 시간은

$2\frac{5}{7}\div3=\frac{19}{7}\times\frac{1}{3}=\frac{19}{21}$(분)입니다.

따라서 10 km를 달리는데 걸린 시간은

$10\times\frac{19}{21}=\frac{190}{21}=9\frac{1}{21}$(분)입니다.

16 답 $\frac{7}{27}$

$5\frac{4}{9}\div7\div3=\frac{49}{9}\times\frac{1}{7}\times\frac{1}{3}=\frac{7}{27}$

17 답 $\frac{13}{16}$ m

색 테이프 1도막의 길이는

$9\frac{3}{4}\div3=\frac{39}{4}\times\frac{1}{3}=\frac{13}{4}$(m)입니다.

따라서 정사각형의 한 변의 길이는

$\frac{13}{4}\div4=\frac{13}{4}\times\frac{1}{4}=\frac{13}{16}$(m)

18 답 $\frac{6}{7}$

●가 가장 큰 수이고, ▲가 가장 작은 수일 때 계산 결과가 가장 작습니다.

따라서 계산 결과가 가장 작을 때는 ●는 6, ▲는 2일 때 이므로

$2\frac{4}{7}\div$●$\times$▲$=2\frac{4}{7}\div6\times2=\frac{18}{7}\times\frac{1}{6}\times2=\frac{6}{7}$

19 답 $2\frac{2}{5}$ cm

(정사각형의 둘레)$=3\frac{3}{5}\times4=\frac{18}{5}\times4=\frac{72}{5}$(cm)

(정육각형의 한 변의 길이)

$=\frac{72}{5}\div6=\frac{72}{5}\times\frac{1}{6}=\frac{72}{30}=\frac{12}{5}=2\frac{2}{5}$(cm)

p. 18

역수는 무엇일까요?

[1] $\frac{1}{3}$

[2] $\frac{1}{11}$

[3] 6

[4] $\frac{4}{3}$

[5] $2\div3=2\times\frac{1}{3}=\frac{2}{3}$

[6] $\frac{4}{5}\div3=\frac{4}{5}\times\frac{1}{3}=\frac{4}{15}$

[7] $2\frac{1}{3}\div4=\frac{7}{3}\div4=\frac{7}{3}\times\frac{1}{4}=\frac{7}{12}$

[8] $3\frac{3}{4}\div2=\frac{15}{4}\div2=\frac{15}{4}\times\frac{1}{2}=\frac{15}{8}=1\frac{7}{8}$

2 ::: 각기둥과 각뿔

04 각기둥

p. 21~23

> 교과서 + 익힘책 유형

01 ㉠, ㉡, ㉤ **02** ㉠, ㉤
03 (위에서부터) 10, 24, 16 **04** ②
05 풀이 참조
06 (1) 면 ㄱㄴㄷㄹㅁ, 면 ㅂㅅㅇㅈㅊ (2) 5개

> 교과서 + 익힘책 응용 유형

07 ㉠, ㉡, ㉣, ㉤, ㉥, ㉦, ㉧
08 ㉤, ㉦ **09** 면 ㄴㅂㅁㄱ
10 선분 ㄱㄴ, 선분 ㄹㄷ, 선분 ㅁㅂ, 선분 ㅇㅅ
11 ① **12** 9 cm **13** 삼각기둥

> 잘 틀리는 유형

14 ② **15** 46 **16** 17 cm
17 51 cm **18** 십이각형 **19** 90 cm

04 답 ②

㉡ – 밑면

05 답 풀이 참조

밑면의 모양	삼각형	사각형	오각형
각기둥의 이름	삼각기둥	사각기둥	오각기둥

08 답 ㉤, ㉦

위와 아래에 있는 면이 서로 평행하고 합동인 다각형으로 이루어진 입체도형은 ㉤, ㉦입니다.

09 답 면 ㄴㅂㅁㄱ

면 ㄷㅅㅇㄹ과 평행하고 합동인 면은 면 ㄴㅂㅁㄱ입니다.

11 답 ①

② 옆면은 직사각형입니다.

③ 밑면이 2개입니다.

④ 밑면이 정다각형일 때만 옆면은 모두 합동입니다.

⑤ 원은 다각형이 아니므로 각기둥의 밑면이 될 수 없습니다.

12 답 9 cm

각기둥의 높이는 두 밑면 사이의 거리이므로 9 cm입니다.

13 답 삼각기둥

구하는 각기둥의 한 밑면의 변의 수를 ★라고 하면

(꼭짓점의 수)=★×2=6

(면의 수)=★+2=5

(모서리의 수)=★×3=9

따라서 ★=3이므로 각기둥은 삼각기둥입니다.

14 답 ②

② 옆면의 모양은 직사각형입니다.

15 답 46

㉮: 10×3=30, ㉯: 8×2=16

㉮+㉯=30+16=46

17 답 51 cm

각기둥의 모든 모서리의 길이의 합은

(밑면의 한 모서리의 길이)×6+(각기둥의 높이)×3

=(5×6)+(7×3)=30+21=51(cm)

18 답 십이각형

★각기둥일 때,

(면의 수)=★+2, (모서리의 수)=★×3,

(꼭짓점의 수)=★×2이므로

★+2+★×3+★×2=74

★×6+2=74, ★×6=72

★=72÷6=12

따라서 이 각기둥은 십이각기둥이고 밑면은 십이각형입니다.

19 답 90 cm

두 밑면의 둘레가 40 cm이므로 오각기둥의 모든 모서리의 길이의 합은

40+(10×5)=40+50=90(cm)입니다.

05 각기둥의 전개도

p. 25~27

> 교과서 + 익힘책 유형

01 선분 ㅇㅅ **02** 풀이 참조

03 (왼쪽에서부터) 5, 9, 6 **04** 30

05 선분 ㅌㅍ **06** 점 ㄴ, 선분 ㅊㅋ

> 교과서 + 익힘책 응용 유형

07 ② **08** 점 ㄱ, 점 ㅁ

09 75 cm

10 (왼쪽에서부터) 삼각기둥, 5, 9, 6

11 12 cm **12** 34 cm

> 잘 틀리는 유형

13 풀이 참조 **14** 풀이 참조

15 60 cm **16** 68 cm **17** ㉠: 3, ㉡: 6, ㉢: 5

18 10 cm

02 답 풀이 참조

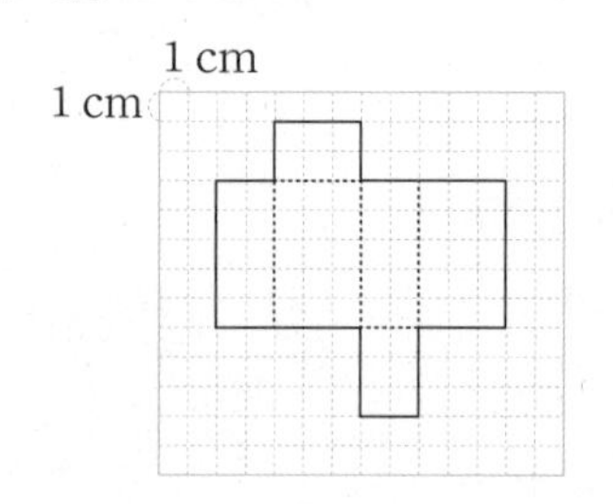

04 답 30

전개도를 접었을 때 만들어지는 입체도형은 육각기둥입니다.

(모서리의 수)=6×3=18

(꼭짓점의 수)=6×2=12

(모서리의 수)+(꼭짓점의 수)=18+12=30

07 답 ②

② 전개도를 접었을 때 겹치는 면이 존재합니다.

09 답 75 cm

전개도를 접었을 때 만들어지는 각기둥은 삼각기둥입니다.

모든 모서리의 길이의 합은

(정삼각형의 둘레)×2+(삼각기둥의 높이)×3

=(7×3)×2+11×3=42+33=75(cm)

11 답 12 cm

모서리의 길이가 모두 같으므로 둘레를 14로 나누면 사각기둥의 한 모서리의 길이를 구할 수 있습니다.

$168 \div 14 = 12(\text{cm})$

12 답 34 cm

전개도로 만든 입체도형은 삼각기둥입니다.

삼각기둥의 모든 모서리의 길이의 합은

(한 밑면의 둘레)$\times 2+$(삼각기둥의 높이)$\times 3$

$=(4+5+2)\times 2+4\times 3=22+12=34(\text{cm})$

13 답 풀이 참조

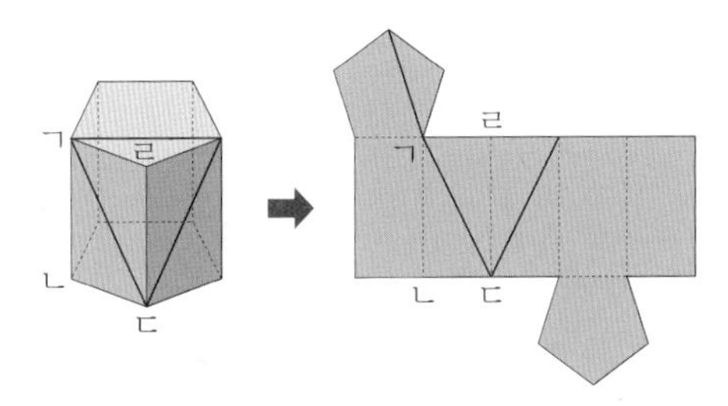

14 답 풀이 참조

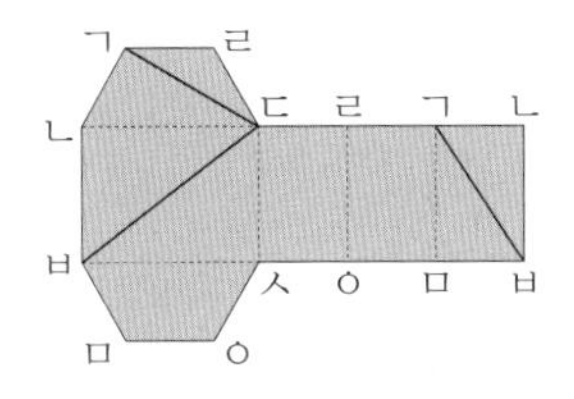

15 답 60 cm

(면 ㅌㅍㅊㅋ의 넓이)$=18\text{ cm}^2$이므로

$(3+6)\times$(선분 ㅌㅍ의 길이)$\times \frac{1}{2}=18$에서

(선분 ㅌㅍ의 길이)$=4(\text{cm})$입니다.

전개도에 각 선분의 길이를 길이 단위 cm를 빼고 나타내면 그림과 같습니다.

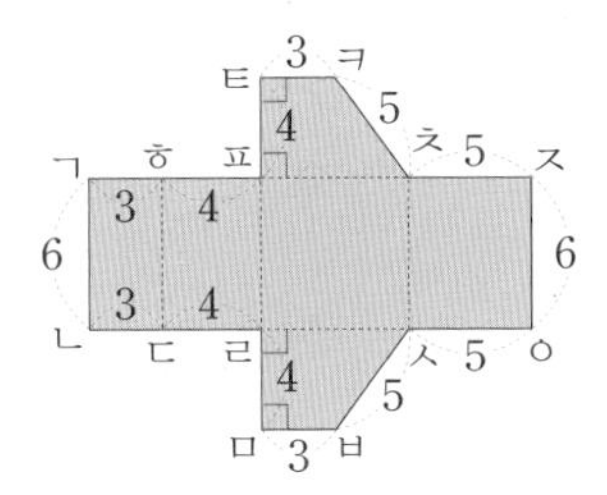

따라서 전개도의 둘레는

$6\times 2+3\times 4+4\times 4+5\times 4$

$=12+12+16+20=60(\text{cm})$입니다.

16 답 68 cm

전개도를 접었을 때 만들어지는 입체도형은 사각기둥입니다.

사각기둥의 모든 모서리의 길이의 합은

$5\times 8+(12-5)\times 4=40+28=68(\text{cm})$입니다.

17 답 ㉠: 3, ㉡: 6, ㉢: 5

㉠, ㉡, ㉢과 마주 보는 면의 눈의 수는 각각 4, 1, 2이므로

㉠$+4=7$, ㉠$=3$

㉡$+1=7$, ㉡$=6$

㉢$+2=7$, ㉢$=5$

18 답 10 cm

선분 ㄴㅂ의 길이는 전개도를 접었을 때 만들어지는 삼각기둥의 밑면인 삼각형 ㅈㅊㅇ의 둘레와 같으므로

$4+4+2=10(\text{cm})$입니다.

06 각뿔

p. 29~31

> 교과서 + 익힘책 유형

01 풀이 참조 **02** 풀이 참조

03 ㉢ **04** 풀이 참조

05 구각형 **06** 4 cm

> 교과서 + 익힘책 응용 유형

07 56 cm **08** 17 **09** 구각뿔

10 32 **11** ①, ③, ④

12 (왼쪽에서부터) 6, 10, 6

13 98 cm

> 잘 틀리는 유형

14 41 **15** 구각뿔, 10

16 108 cm **17** ② **18** 칠각뿔

19 팔각형

01 답 풀이 참조

밑면의 모양	삼각형	사각형	오각형
각뿔의 이름	삼각뿔	사각뿔	오각뿔

02 답 풀이 참조

도형	밑면의 변의 수(개)	꼭짓점의 수(개)	면의 수(개)	모서리의 수(개)
삼각뿔	3	4	4	6
사각뿔	4	5	5	8
오각뿔	5	6	6	10
육각뿔	6	7	7	12

03 답 ㉢

㉢ 각뿔에서 옆면과 옆면이 만나는 선분은 모서리입니다.

04 답 풀이 참조

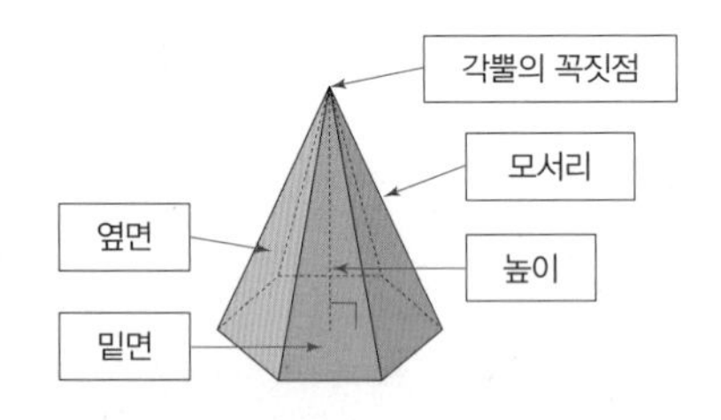

05 답 구각형

옆면이 9개인 각뿔은 밑면의 변이 9개이므로 구각형입니다.

06 답 4 cm

높이는 각뿔의 꼭짓점에서 밑면에 수직인 선분의 길이입니다.

07 답 56 cm

각뿔의 옆면은 모두 합동인 이등변삼각형이므로 길이가 8 cm인 모서리가 4개, 6 cm인 모서리가 4개 있습니다.
따라서 모든 모서리의 길이의 합은
$8\times4+6\times4=32+24=56$(cm)입니다.

08 답 17

☆각기둥의 모서리의 수는 $☆\times3$이므로
$☆\times3=12$이면 $☆=4$
모서리가 12개인 각기둥은 사각기둥이고 면의 수는 $4+2=6$입니다.
△각뿔의 꼭짓점의 수는 $△+1$이므로
$△+1=11$이면 $△=10$
꼭짓점이 11개인 각뿔은 십각뿔이고 면의 수는 $10+1=11$입니다.
따라서 구하는 면의 수의 합은 $6+11=17$입니다.

09 답 구각뿔

다각형인 밑면이 1개이고 옆면이 모두 이등변삼각형이므로 이 입체도형은 각뿔입니다.
☆각뿔의 모서리의 수는 $☆\times2$이므로
$☆\times2=18$, $☆=9$
따라서 입체도형은 구각뿔입니다.

10 답 32

(구각뿔의 모서리의 수)$=9\times2=18$
(십삼각뿔의 꼭짓점의 수)$=13+1=14$
따라서 구하는 합은 $18+14=32$입니다.

11 답 ①, ③, ④

② 십일각뿔의 옆면은 11개입니다.
⑤ 꼭짓점은 12개입이다.

12 답 (왼쪽에서부터) 6, 10, 6

밑변이 오각형인 각뿔은 오각뿔입니다.
(면의 수)$=5+1=6$
(모서리의 수)$=5\times2=10$
(꼭짓점의 수)$=5+1=6$

13 답 98 cm

주어진 정칠각형 1개와 이등변삼각형 7개로 만든 각뿔은 칠각뿔입니다.
칠각뿔에는 길이가 5 cm인 모서리가 7개, 9 cm인 모서리가 7개 있으므로 모든 모서리의 길이의 합은
$5\times7+9\times7=35+63=98$(cm)입니다.

14 답 41

면이 17개인 각기둥은 십오각기둥입니다.
모서리가 20개인 각뿔은 십각뿔입니다.
(십오각기둥의 꼭짓점의 수)$=15\times2=30$
(십각뿔의 꼭짓점의 수)$=10+1=11$
따라서 구하는 합은 $30+11=41$입니다.

15 답 구각뿔, 10

(옆면의 수)$-$(밑면의 수)$=8$이고
각뿔의 밑면은 1개이므로 옆면은 9개입니다.
따라서 밑면의 변이 9개이므로 이 각뿔은 구각뿔입니다.
구각뿔의 꼭짓점의 수는 $9+1=10$입니다.

16 답 108 cm

길이가 10 cm인 모서리가 6개, 8 cm인 모서리가 6개 있으므로 육각뿔의 모든 모서리의 길이의 합은
$10\times6+8\times6=60+48=108$(cm)입니다.

17 답 ②

① 밑면은 1개입니다.
③ 모서리는 면과 면이 만나는 선분입니다.
④ 꼭짓점은 모서리와 모서리가 만나는 점입니다.
⑤ 각뿔의 꼭짓점은 1개입니다.

18 답 칠각뿔

구하는 각뿔을 ☆각뿔이라고 하면
(면의 수)+(모서리의 수)+(꼭짓점의 수)=30에서
(☆+1)+(☆×2)+(☆+1)=30
☆×4+2=30, ☆×4=28, ☆=7

19 답 팔각형

주어진 도형을 옆면으로 하는 각뿔의 이름을 □각뿔이라고 하면
길이가 3 cm인 모서리는 □개, 길이가 6 cm인 모서리는 □개 있으므로
□×3+□×6=72, □×9=72, □=8
따라서 팔각뿔이고 밑면은 팔각형입니다.

p. 32

입체도형의 종류에는 무엇이 있을까요?

[1] 구

[2] 원기둥

[3] 원뿔

3 ::: 소수의 나눗셈

07 (소수)÷(자연수) (1)

p. 35~37

> 교과서 + 익힘책 유형

01 (왼쪽에서부터) 321, 32.1
02 6.84÷2, 3.42
03 (위에서부터) 213, 21.3, 2.13 **04** 1.2
05 31.2
06 (왼쪽에서부터) 1221, $\frac{1}{100}$, 12.21

> 교과서 + 익힘책 응용 유형

07 2.1 cm **08** (1) < (2) <
09 9.2 cm **10** 6.2 m **11** 4.1 cm^2
12 1.2 L **13** 2.1

> 잘 틀리는 유형

14 7.1 cm **15** 6.1 cm **16** 31.1
17 ㉡, ㉢, ㉠, ㉣
18 (왼쪽에서부터) 4.11, 6.21
19 (왼쪽에서부터) 6.2, 3.1

02 답 6.84÷2, 3.42

684÷2=342이고 몫이 $\frac{1}{100}$배이면 나누어지는 수도 $\frac{1}{100}$배이므로 나눗셈식은 6.84÷2이고, 몫은 3.42입니다.

03 답 (위에서부터) 213, 21.3, 2.13

426÷2=213 ⇨ 42.6÷2=21.3
4.26÷2=2.13

05 답 31.2

936÷3=312 ⇨ 93.6÷3=31.2

07 답 2.1 cm

189÷9=21 ⇨ 18.9÷9=2.1

08 답 (1) $<$ (2) $<$

(1) $168 \div 8 = 21 \Rightarrow 16.8 \div 8 = 2.1$

$246 \div 6 = 41 \Rightarrow 24.6 \div 6 = 4.1$

따라서 ○ 안에 알맞은 것은 $<$ 입니다.

(2) $1055 \div 5 = 211 \Rightarrow 10.55 \div 5 = 2.11$

$8462 \div 2 = 4231 \Rightarrow 84.62 \div 2 = 42.31$

따라서 ○ 안에 알맞은 것은 $<$ 입니다.

09 답 9.2 cm

$368 \div 4 = 92 \Rightarrow 36.8 \div 4 = 9.2$

10 답 6.2 m

$248 \div 4 = 62 \Rightarrow 24.8 \div 4 = 6.2$

11 답 4.1 cm^2

$328 \div 8 = 41 \Rightarrow 32.8 \div 8 = 4.1$

12 답 1.2 L

$48 \div 4 = 12 \Rightarrow 4.8 \div 4 = 1.2$

13 답 2.1

$84 \div 4 = 21 \Rightarrow 8.4 \div 4 = 2.1$

14 답 7.1 cm

$426 \div 6 = 71 \Rightarrow 42.6 \div 6 = 7.1$

15 답 6.1 cm

$305 \div 5 = 61 \Rightarrow 30.5 \div 5 = 6.1$

16 답 31.1

어떤 수를 □라고 하면 $\square \times 4 = 248.8$

$\square = 248.8 \div 4 = 62.2$

따라서 어떤 수를 2로 나누면

$62.2 \div 2 = 31.1$

17 답 ㉡, ㉢, ㉠, ㉣

㉠ $248 \div 8 = 31 \Rightarrow 24.8 \div 8 = 3.1$

㉡ $4226 \div 6 = 2113 \Rightarrow 42.26 \div 2 = 21.13$

㉢ $205 \div 5 = 41 \Rightarrow 20.5 \div 5 = 4.1$

㉣ $126 \div 6 = 21 \Rightarrow 12.6 \div 6 = 2.1$

18 답 (왼쪽에서부터) 4.11, 6.21

$2055 \div 5 = 411 \Rightarrow 20.55 \div 5 = 4.11$

$1242 \div 2 = 621 \Rightarrow 12.42 \div 2 = 6.21$

19 답 (왼쪽에서부터) 6.2, 3.1

$186 \div 3 = 62,\ 62 \div 2 = 31$

$\Rightarrow 18.6 \div 3 = 6.2,\ 6.2 \div 2 = 3.1$

08 (소수)÷(자연수) (2)

p. 39~41

> 교과서 + 익힘책 유형

01 23.18 **02** 6.14 **03** 6.37 **04** $<$

05 2.3 **06** 3.6 cm

> 교과서 + 익힘책 응용 유형

07 (1) $<$ (2) $<$ **08** 4.28 cm^2

09 3.9 cm **10** ㉠

11 (위에서부터) 3.3, 5.2, 3.23

12 18.7

> 잘 틀리는 유형

13 7.4 cm **14** 5.92 cm **15** 3.3 L

16 6.3 **17** (왼쪽에서부터) 11.75, 2.35

18 3.25

01 답 28.18

$$69.54 \div 3 = \frac{6954}{100} \div 3 = \frac{6954 \div 3}{100} = \frac{2318}{100} = 23.18$$

02 답 6.14

세로로 계산할 때 몫의 소수점은 나누어지는 수의 소수점을 올려 찍습니다.

03 답 6.37

$$\begin{array}{r} 6.37 \\ 4 \overline{)\,25.48} \\ 24 \\ \hline 1\,4 \\ 1\,2 \\ \hline 28 \\ 28 \\ \hline 0 \end{array}$$

04 답 $<$

나뉠 수를 10배 하면 몫도 10배가 됩니다.

05 답 2.3

$$\begin{array}{r} 2.3 \\ 9 \overline{)\,20.7} \\ 18 \\ \hline 2\,7 \\ 2\,7 \\ \hline 0 \end{array}$$

06 답 3.6 cm

```
    3.6
3)1 0.8
   9
  ----
   1 8
   1 8
  ----
     0
```

07 답 (1) < (2) <

(1)
```
     2.4          4.4
8)1 9.2      6)2 6.4
  1 6          2 4
  ----         ----
    3 2          2 4
    3 2          2 4
  ----         ----
      0            0
```

따라서 ○ 안에 알맞은 것은 < 입니다.

(2)
```
   1 7.9 6       3 1.2 8
4)7 1.8 4     2)6 2.5 6
  4              6
  --------       --------
  3 1              2
  2 8              2
  --------       --------
    3 8              5
    3 6              4
  --------       --------
      2 4            1 6
      2 4            1 6
  --------       --------
        0              0
```

따라서 ○ 안에 알맞은 것은 < 입니다.

08 답 4.28 cm^2

```
    4.2 8
6)2 5.6 8
  2 4
  ------
    1 6
    1 2
  ------
      4 8
      4 8
  ------
        0
```

09 답 3.9 cm

```
    3.9
5)1 9.5
  1 5
  ----
    4 5
    4 5
  ----
      0
```

10 답 ㉠

㉠ $11.2 \div 4 = \frac{112}{10} \div 4 = \frac{28}{10} = 2.8$

㉡ $13.26 \div 6 = \frac{1326}{100} \div 6 = \frac{221}{100} = 2.21$

11 답 (위에서부터) 3.3, 5.2, 3.23

```
    3.3          5.2            3.2 3
5)1 6.5      8)4 1.6       9)2 9.0 7
  1 5          4 0           2 7
  ----         ----          ------
    1 5          1 6           2 0
    1 5          1 6           1 8
  ----         ----          ------
      0            0             2 7
                                 2 7
                             ------
                                   0
```

12 답 18.7

어떤 수를 □라고 하면

$\square \times 2 = 112.2$

$\square = 112.2 \div 2 = \frac{1122}{10} \div 2 = \frac{1122 \div 2}{10} = \frac{561}{10}$

$= 56.1$

따라서 어떤 수를 3으로 나누었을 때의 몫은

$56.1 \div 3 = \frac{561}{10} \div 3 = \frac{187}{10} = 18.7$

13 답 7.4 cm

$44.4 \div 6 = \frac{444}{10} \div 6 = \frac{74}{10} = 7.4(\text{cm})$

14 답 5.92 cm

(삼각형의 넓이)=(밑변의 길이)×(높이)÷2이므로

17.76=6×(높이)÷2

(높이) $= 17.76 \div 3 = \frac{1776}{100} \div 3 = \frac{592}{100}$

$= 5.92(\text{cm})$

15 답 3.3 L

가로 3 m, 세로 2 m인 직사각형 모양의 벽의 넓이는

$3 \times 2 = 6(\text{m}^2)$입니다.

따라서 1 m^2의 벽을 칠하는데 사용한 페인트는

$19.8 \div 6 = \frac{198}{10} \div 6 = \frac{33}{10} = 3.3(\text{L})$입니다.

16 답 6.3

어떤 수를 □라고 하면

$\square \times 5 = 220.5$

$\square = 220.5 \div 5 = \frac{2205}{10} \div 5 = \frac{441}{10} = 44.1$

따라서 어떤 수를 7로 나누었을 때의 몫은

$44.1 \div 7 = \frac{441}{10} \div 7 = \frac{63}{10} = 6.3$

17 답 (왼쪽에서부터) 11.75, 2.35

$$\begin{array}{r} 11.75 \\ 3\overline{)35.25} \\ \underline{3} \\ 5 \\ \underline{3} \\ 22 \\ \underline{21} \\ 15 \\ \underline{15} \\ 0 \end{array} \qquad \begin{array}{r} 2.35 \\ 5\overline{)11.75} \\ \underline{10} \\ 17 \\ \underline{15} \\ 25 \\ \underline{25} \\ 0 \end{array}$$

18 답 3.25

몫이 가장 크려면 나누어지는 수는 가장 크고 나누는 수는 가장 작아야 하므로 나눗셈식은 9.75÷3이고 몫은 3.25입니다.

$$\begin{array}{r} 3.25 \\ 3\overline{)9.75} \\ \underline{3} \\ 7 \\ \underline{6} \\ 15 \\ \underline{15} \\ 0 \end{array}$$

09 (소수)÷(자연수) (3)

p. 43~45

> 교과서 + 익힘책 유형

01 0.36 **02** (위에서부터) 47, 4.7, 0.47

03 (1) 0.24 (2) 0.16 **04** 0.87

05 0.52 **06** 0.36

> 교과서 + 익힘책 응용 유형

07 7, 8, 9 **08** < **09** 0.29

10 0.95 cm **11** 0.74 cm^2

12 (왼쪽에서부터) 4.35, 0.87

> 잘 틀리는 유형

13 0.32 m **14** (왼쪽에서부터) 2.59, 0.37

15 (왼쪽에서부터) 0.57, 0.58, 0.37

16 0.93 **17** ㉢, ㉣, ㉡, ㉠

18 0.18

01 답 0.36

$$1.44 \div 4 = \frac{144}{100} \div 4 = \frac{144 \div 4}{100} = \frac{36}{100} = 0.36$$

02 답 (위에서부터) 47, 4.7, 0.47

94÷2=47 ⇨ 9.4÷2=4.7

0.94÷2=0.47

03 답 (1) 0.24 (2) 0.16

(1) $$\begin{array}{r} 0.24 \\ 2\overline{)0.48} \\ \underline{4} \\ 8 \\ \underline{8} \\ 0 \end{array}$$ (2) $$\begin{array}{r} 0.16 \\ 6\overline{)0.96} \\ \underline{6} \\ 36 \\ \underline{36} \\ 0 \end{array}$$

04 답 0.87

261÷3=87 ⇨ 2.61÷3=0.87

05 답 0.52

$$\begin{array}{r} 0.52 \\ 9\overline{)4.68} \\ \underline{45} \\ 18 \\ \underline{18} \\ 0 \end{array}$$

06 답 0.36

소수점을 찍지 않았습니다.

```
   0.3 6
3)1.0 8
    9
  ─────
    1 8
    1 8
  ─────
      0
```

07 답 7, 8, 9

```
   0.6 5
7)4.5 5
   4 2
  ─────
     3 5
     3 5
  ─────
       0
```

0.65<0.□5에서 □ 안에 들어갈 수 있는 수는 7, 8, 9입니다.

08 답 <

```
   0.2 2          0.4 2
8)1.7 6        6)2.5 2
   1 6            2 4
  ─────          ─────
     1 6            1 2
     1 6            1 2
  ─────          ─────
       0              0
```

따라서 ○ 안에 알맞은 것은 < 입니다.

09 답 0.29

```
   0.2 9
4)1.1 6
     8
  ─────
     3 6
     3 6
  ─────
       0
```

10 답 0.95 cm

```
   0.9 5
5)4.7 5
   4 5
  ─────
     2 5
     2 5
  ─────
       0
```

11 답 0.74 cm^2

```
   0.7 4
8)5.9 2
   5 6
  ─────
     3 2
     3 2
  ─────
       0
```

12 답 (왼쪽에서부터) 4.35, 0.87

```
    4.3 5           0.8 7
3)1 3.0 5        5)4.3 5
  1 2               4 0
  ───────          ─────
    1 0               3 5
      9               3 5
  ───────          ─────
      1 5               0
      1 5
  ───────
        0
```

13 답 0.32 m

```
   0.3 2
8)2.5 6
   2 4
  ─────
     1 6
     1 6
  ─────
       0
```

14 답 (왼쪽에서부터) 2.59, 0.37

```
    2.5 9           0.3 7
4)1 0.3 6        7)2.5 9
    8               2 1
  ───────          ─────
    2 3               4 9
    2 0               4 9
  ───────          ─────
      3 6               0
      3 6
  ───────
        0
```

15 답 (왼쪽에서부터) 0.57, 0.58, 0.37

```
   0.5 7          0.5 8          0.3 7
4)2.2 8        7)4.0 6        3)1.1 1
   2 0            3 5              9
  ─────          ─────          ─────
     2 8            5 6            2 1
     2 8            5 6            2 1
  ─────          ─────          ─────
       0              0              0
```

16 답 0.93

어떤 수를 □라고 하면

□×9=33.48

□=33.48÷9=3.72

따라서 어떤 수를 4로 나누었을 때의 몫은 3.72÷4=0.93입니다.

```
    3.7 2           0.9 3
9)3 3.4 8        4)3.7 2
  2 7               3 6
  ───────          ─────
    6 4               1 2
    6 3               1 2
  ───────          ─────
      1 8               0
      1 8
  ───────
        0
```

17 답 ㉢, ㉣, ㉡, ㉠

㉠
$$\begin{array}{r} 0.21 \\ 6\overline{)1.26} \\ 12 \\ \hline 6 \\ 6 \\ \hline 0 \end{array}$$

㉡
$$\begin{array}{r} 0.27 \\ 4\overline{)1.08} \\ 8 \\ \hline 28 \\ 28 \\ \hline 0 \end{array}$$

㉢
$$\begin{array}{r} 0.41 \\ 5\overline{)2.05} \\ 20 \\ \hline 5 \\ 5 \\ \hline 0 \end{array}$$

㉣
$$\begin{array}{r} 0.37 \\ 8\overline{)2.96} \\ 24 \\ \hline 56 \\ 56 \\ \hline 0 \end{array}$$

따라서 몫이 큰 것부터 차례대로 ㉢, ㉣, ㉡, ㉠입니다.

18 답 0.18

만들 수 있는 가장 작은 소수 두 자리 수는 1.26입니다.

남은 수 7로 1.26을 나누면 몫은 0.18입니다.

$$\begin{array}{r} 0.18 \\ 7\overline{)1.26} \\ 7 \\ \hline 56 \\ 56 \\ \hline 0 \end{array}$$

10 (소수)÷(자연수) (4)

p. 47~49

> 교과서 + 익힘책 유형

01 0.75 **02** (1) 0.25 (2) 0.55

03 (1) 0.35 (2) 1.46 **04** 2.05

05 4.05 **06** 9.65

> 교과서 + 익힘책 응용 유형

07 < **08** 7.35 cm^2

09 (왼쪽에서부터) 11.2, 2.24

10 2.05 cm **11** 34.05 cm

12 1.85 L

> 잘 틀리는 유형

13 4.25, 0.85 **14** ㉡, ㉢, ㉣, ㉠

15 3.15

16 (왼쪽에서부터) 21.96, 31.325, 13.85

17 승희네 가게의 사과 **18** 1.15 m

01 답 0.75

$$1.5\div2=\frac{150}{100}\div2=\frac{150\div2}{100}=\frac{75}{100}=0.75$$

03 답 (1) 0.35 (2) 1.46

$$\begin{array}{r} 0.35 \\ 4\overline{)1.40} \\ 12 \\ \hline 20 \\ 20 \\ \hline 0 \end{array}$$

$$\begin{array}{r} 1.46 \\ 5\overline{)7.30} \\ 5 \\ \hline 23 \\ 20 \\ \hline 30 \\ 30 \\ \hline 0 \end{array}$$

04 답 2.05

몫의 소수 첫째 자리에 0을 쓰지 않았습니다.

$$\begin{array}{r} 2.05 \\ 8\overline{)16.40} \\ 16 \\ \hline 40 \\ 40 \\ \hline 0 \end{array}$$

05 답 4.05

$$\begin{array}{r} 4.05 \\ 4\overline{)16.20} \\ 16 \\ \hline 20 \\ 20 \\ \hline 0 \end{array}$$

06 답 9.65

$$\begin{array}{r} 9.65 \\ 4\overline{)38.60} \\ 36 \\ \hline 26 \\ 24 \\ \hline 20 \\ 20 \\ \hline 0 \end{array}$$

07 답 <

$$\begin{array}{r} 2.42 \\ 5\overline{)12.10} \\ 10 \\ \hline 21 \\ 20 \\ \hline 10 \\ 10 \\ \hline 0 \end{array} \qquad \begin{array}{r} 2.75 \\ 6\overline{)16.50} \\ 12 \\ \hline 45 \\ 42 \\ \hline 30 \\ 30 \\ \hline 0 \end{array}$$

따라서 ○ 안에 알맞은 것은 < 입니다.

08 답 7.35 cm^2

$$\begin{array}{r} 7.35 \\ 4\overline{)29.40} \\ 28 \\ \hline 14 \\ 12 \\ \hline 20 \\ 20 \\ \hline 0 \end{array}$$

09 답 (왼쪽에서부터) 11.2, 2.24

$$\begin{array}{r} 11.2 \\ 3\overline{)33.6} \\ 3 \\ \hline 3 \\ 3 \\ \hline 6 \\ 6 \\ \hline 0 \end{array} \qquad \begin{array}{r} 2.24 \\ 5\overline{)11.20} \\ 10 \\ \hline 12 \\ 10 \\ \hline 20 \\ 20 \\ \hline 0 \end{array}$$

10 답 2.05 cm

삼각뿔의 모서리의 개수는 $3\times2=6$(개)입니다.

$$\begin{array}{r} 2.05 \\ 6\overline{)12.30} \\ 12 \\ \hline 30 \\ 30 \\ \hline 0 \end{array}$$

11 답 34.05 cm

$$\begin{array}{r} 34.05 \\ 4\overline{)136.20} \\ 12 \\ \hline 16 \\ 16 \\ \hline 20 \\ 20 \\ \hline 0 \end{array}$$

12 답 1.85 L

$$\begin{array}{r} 1.85 \\ 6\overline{)11.10} \\ 6 \\ \hline 51 \\ 48 \\ \hline 30 \\ 30 \\ \hline 0 \end{array}$$

13 답 (왼쪽에서부터) 4.25, 0.85

$$\begin{array}{r} 4.25 \\ 6\overline{)25.50} \\ 24 \\ \hline 15 \\ 12 \\ \hline 30 \\ 30 \\ \hline 0 \end{array} \qquad \begin{array}{r} 0.85 \\ 5\overline{)4.25} \\ 40 \\ \hline 25 \\ 25 \\ \hline 0 \end{array}$$

14 답 ㉡, ㉢, ㉣, ㉠

㉠
$$\begin{array}{r} 2.25 \\ 6\overline{)13.50} \\ 12 \\ \hline 15 \\ 12 \\ \hline 30 \\ 30 \\ \hline 0 \end{array}$$

㉡
$$\begin{array}{r} 3.78 \\ 5\overline{)18.90} \\ 15 \\ \hline 39 \\ 35 \\ \hline 40 \\ 40 \\ \hline 0 \end{array}$$

㉢
```
      2.8 5
  4)1 1.4 0
    8
    3 4
    3 2
      2 0
      2 0
        0
```
㉣
```
      2.5 5
  8)2 0.4 0
    1 6
      4 4
      4 0
        4 0
        4 0
          0
```
따라서 몫이 큰 것부터 차례대로 ㉡, ㉢, ㉣, ㉠입니다.

15 답 3.15

어떤 수를 □라고 하면

□×3=75.6

□=75.6÷3=25.2

따라서 어떤 수를 8로 나누었을 때의 몫은 25.2÷8=3.15입니다.

```
    2 5.2
  3)7 5.6
    6
    1 5
    1 5
        6
        6
        0
```
```
      3.1 5
  8)2 5.2 0
    2 4
      1 2
        8
        4 0
        4 0
          0
```

16 답 (왼쪽에서부터) 21.96, 31.325, 13.85

```
    2 1.9 6
  5)1 0 9.8 0
    1 0
        9
        5
        4 8
        4 5
          3 0
          3 0
            0
```
```
      3 1.3 2 5
  4)1 2 5.3 0 0
    1 2
        5
        4
        1 3
        1 2
          1 0
            8
            2 0
            2 0
              0
```
```
    1 3.8 5
  4)5 5.4 0
    4
    1 5
    1 2
      3 4
      3 2
        2 0
        2 0
          0
```

17 답 승희네 가게의 사과

선영이네 가게의 사과 3개가 1.92 kg이므로 사과 한 개는 1.92÷3=0.64(kg)입니다.

```
    0.6 4
  3)1.9 2
    1 8
      1 2
      1 2
        0
```
승희네 가게의 사과 6개가 4.5 kg이므로 사과 한 개는 4.5÷6=0.75(kg)입니다.

```
    0.7 5
  6)4.5 0
    4 2
      3 0
      3 0
        0
```
따라서 승희네 가게의 사과 한 개가 더 무겁습니다.

18 답 1.15 m

개나리 모종 5개를 같은 가격으로 심기 위해서는 4.6 m를 5등분이 아닌 4등분해야 합니다.

따라서 모종 사이의 간격은 4.6÷4=1.15(m)입니다.

```
    1.1 5
  4)4.6 0
    4
      6
      4
      2 0
      2 0
        0
```

11 (자연수)÷(자연수)와 소수점 위치

p. 51~53

> 교과서 + 익힘책 유형

01 2.25 **02** 3.5

03 (위에서부터) 1.25, 1.6

04 75÷6, 12.5 **05** =

06 풀이 참조

> 교과서 + 익힘책 응용 유형

07 6, 7, 8, 9

08 (왼쪽에서부터) 25.5, 5.1

09 ㉠, ㉤, ㉥, ㉧, ㉨

10 풀이 참조 **11** 6.75 cm **12** 2.5 L

> 잘 틀리는 유형

13 (왼쪽에서부터) 19.5, 3.25

14 0.4 **15** 2번

16 (왼쪽에서부터) 8.5, 4.5, 7.75

17 0.15 kg **18** 0.25

01 답 2.25

$9 \div 4 = \frac{9}{4} = \frac{225}{100} = 2.25$

02 답 3.5

$420 \div 12 = 35$ ⇨ $42 \div 12 = 3.5$

03 답 (위에서부터) 1.25, 1.6

```
     1.2 5          1.6
12)1 5.0 0       5)8.0
   1 2             5
   -----          ----
     3 0           3 0
     2 4           3 0
   -----          ----
       6 0           0
       6 0
   -----
         0
```

04 답 75÷6, 12.5

$750 \div 6 = 125$이고 나누어지는 수가 $\frac{1}{10}$배이면 몫도 $\frac{1}{10}$배이므로 나눗셈식은 $75 \div 6$이고, 몫은 12.5입니다.

05 답 =

```
      0.6 2 5          0.6 2 5
16)1 0.0 0 0     24)1 5.0 0 0
     9 6              1 4 4
   -------          -------
       4 0              6 0
       3 2              4 8
   -------          -------
         8 0            1 2 0
         8 0            1 2 0
   -------          -------
           0                0
```

따라서 ○ 안에 알맞은 것은 =입니다.

06 답 풀이 참조

$31.64 \div 7$

어림: 예 $32 \div 7$ ⇨ 약 5

몫: 4.52

07 답 6, 7, 8, 9

$35 \div 14 = 2.5$이므로

2.5<2.□에서 □ 안에 들어갈 수 있는 수는 6, 7, 8, 9입니다.

```
      2.5
14)3 5.0
   2 8
   -----
     7 0
     7 0
   -----
       0
```

08 답 (왼쪽에서부터) 25.5, 5.1

```
   2 5.5           5.1
2)5 1.0         5)2 5.5
  4               2 5
  -----           -----
  1 1                 5
  1 0                 5
  -----           -----
    1 0               0
    1 0
  -----
      0
```

09 답 ㉠, ㉤, ㉥, ㉧, ㉨

나누어지는 수가 나누는 수보다 크면 몫이 1보다 크고, 나누어지는 수가 나누는 수보다 작으면 몫이 1보다 작습니다.

10 답 풀이 참조

몫을 $\frac{1}{10}$배 해야 하는데 $\frac{1}{100}$배 했습니다.

따라서 한 사람이 가지게 되는 물의 양은

$3.2 \div 2 = 1.6$(L)입니다.

11 답 6.75 cm

```
      6.7 5
12)8 1.0 0
   7 2
    9 0
    8 4
      6 0
      6 0
        0
```

12 답 2.5 L

```
    2.5
6)1 5.0
  1 2
    3 0
    3 0
      0
```

13 답 (왼쪽에서부터) 19.5, 3.25

```
   1 9.5
2)3 9.0
  2
  1 9
  1 8
    1 0
    1 0
      0
```

```
    3.2 5
6)1 9.5 0
  1 8
    1 5
    1 2
      3 0
      3 0
        0
```

14 답 0.4

어떤 수를 □라고 하면

□×15=36

□=36÷15=2.4

따라서 어떤 수를 6으로 나누었을 때의 몫은

$2.4\div6=\frac{24}{10}\times\frac{1}{6}=\frac{4}{10}=0.4$입니다.

```
      2.4
15)3 6.0
   3 0
     6 0
     6 0
       0
```

15 답 2번

43÷4의 몫을 나머지가 0이 될 때까지 나누면 소수점 아래 0을 2번 내려야 합니다.

```
   1 0.7 5
4)4 3.0 0
  4
    3 0
    2 8
      2 0
      2 0
        0
```

16 답 (왼쪽에서부터) 8.5, 4.5, 7.75

```
       8.5
12)1 0 2.0
     9 6
       6 0
       6 0
         0
```

```
     4.5
14)6 3.0
   5 6
     7 0
     7 0
       0
```

```
    7.7 5
4)3 1.0 0
  2 8
    3 0
    2 8
      2 0
      2 0
        0
```

17 답 0.15 kg

자두 1봉지의 무게는

$6\div5=\frac{6}{5}=\frac{12}{10}=1.2$(kg)이고,

자두 1봉지에는 자두가 8개씩 있으므로 자두 1개의 무게는

1.2÷8=0.15(kg)입니다.

```
   0.1 5
8)1.2
    8
    4 0
    4 0
      0
```

18 답 0.25

몫이 가장 작은 나눗셈식은

(가장 작은 수)÷(가장 큰 수)이므로

2÷8이고 몫은 0.25입니다.

```
   0.2 5
8)2.0 0
  1 6
    4 0
    4 0
      0
```

p. 54

소수의 종류에는 무엇이 있을까요?

[1] 0.123은 소수점 아래 3개의 수가 있으므로 유한소수입니다. (유)

[2] 0.1666…은 소수점 아래의 수가 셀 수 없이 많으므로 무한소수입니다. (무)

[3] 3.14는 소수점 아래 2개의 수가 있으므로 유한소수입니다. (유)

[4] 1.0001은 소수점 아래 4개의 수가 있으므로 유한소수입니다. (유)

[5] 5는 소수점 아래 0개의 수가 있으므로 유한소수입니다. (유)

[6] 0.00098은 소수점 아래 5개의 수가 있으므로 유한소수입니다. (유)

[7] 3.840293…은 소수점 아래의 수가 셀 수 없이 많으므로 무한소수입니다. (무)

[8] 1.000…01은 소수점 아래 101개의 수가 있으므로 유한소수입니다. (유)

4 ::: 비와 비율

12 비

p. 57~59

> 교과서 + 익힘책 유형

01 (1) 10, 10 (2) 3, 3 **02** ㉡

03 (1) 5, 4 (2) 5, 4 (3) 4, 5 (4) 5, 4 (5) 5, 4

04 (1) 5, 8 (2) 8, 5 **05** 2 : 3

06 풀이 참조

> 교과서 + 익힘책 응용 유형

07 (1) 5, 3 (2) 3, 5 **08** (1) 2, 6 (2) 6, 2

09 20 : 30 **10** 승우, 6과 5의 비

11 5 : 8 **12** 7 : 9

> 잘 틀리는 유형

13 12 : 25 **14** 9 : 4 **15** 7 : 35

16 120 : 380 **17** 13 : 21

18 풀이 참조

02 답 ㉡

㉠ 색연필은 연필보다 9자루 더 많습니다.

㉢ 연필 수는 색연필 수의 $\frac{1}{2}$배입니다.

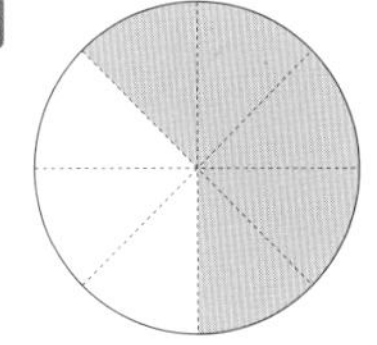

09 답 20 : 30

0 장애물 50 m

출발점에서부터 장애물까지의 거리는 20 m, 장애물에서부터 도착점까지의 거리는 $50-20=30$(m)입니다.

따라서 구하는 비는 20 : 30입니다.

13 답 12 : 25

(가의 넓이)$=5\times5=25(\text{cm}^2)$

(나의 넓이)$=6\times4\times\frac{1}{2}=12(\text{cm}^2)$

따라서 **가**의 넓이에 대한 **나**의 넓이의 비는 12 : 25입니다.

14 답 9 : 4

가의 길이는 4칸이고, **나**의 길이는 9칸이므로 **가**의 길이에 대한 **나**의 길이의 비는 9 : 4입니다.

15 답 7 : 35

상자 안에 들어 있는 전체 공은

$13+15+7=35$(개)입니다.

따라서 구하는 비는 7 : 35입니다.

16 답 120 : 380

마트에서부터 옷가게까지의 거리는

$500-120-380$(m)입니다.

120 m 380 m
집 마트 옷가게

따라서 구하는 비는 120 : 380입니다.

18 답 풀이 참조

지원: 틀립니다.

4 : 8은 8을 기준으로 하여 4를 비교한 것이고, 8 : 4는 4를 기준으로 하여 8을 비교한 것입니다.

동현: 맞습니다.

13 비율

p. 61~63

> 교과서 + 익힘책 유형

01 풀이 참조 **02** 6 **03** 1.5

04 (1) × (2) ○ (3) ○ **05** 풀이 참조

> 교과서 + 익힘책 응용 유형

06 풀이 참조 **07** 풀이 참조

08 $\frac{13}{21}$ **09** 가, 나, 다

10 $\frac{7}{10}$, 0.7 **11** $\frac{150}{30}(=5)$

> 잘 틀리는 유형

12 A **13** 인터넷 서점 **14** $\frac{1}{4}$

15 0.45 **16** 기차 **17** 현일

01 답 풀이 참조

비	비교하는 양	기준량
9 : 15	9	15
11과 20의 비	11	20
12에 대한 27의 비	27	12

02 답 6

$\frac{\square}{15}=\frac{2}{5}=\frac{6}{15}$에서 □=6입니다.

03 답 1.5

나의 길이에 대한 가의 길이의 비는 9 : 6이므로

비율은 $\frac{9}{6}=\frac{3}{2}=1.5$입니다.

04 답 (1) × (2) ○ (3) ○

(1) 기준량은 동화책 수입니다.

05 답 풀이 참조

(1) 남학생 수와 여학생 수의 비

(2) 6학년 전체 학생 수에 대한 우리반 학생 수의 비

06 답

6 : 10 ⇨ $\frac{6}{10}=\frac{3}{5}=0.6$

4와 25의 비 ⇨ 4 : 25 ⇨ $\frac{4}{25}=0.16$

16에 대한 12의 비 ⇨ 12 : 16 ⇨ $\frac{12}{16}=\frac{3}{4}=0.75$

1의 4에 대한 비 ⇨ 1 : 4 ⇨ $\frac{1}{4}=0.25$

07 답 풀이 참조

방의 정원에 대한 방을 사용한 사람 수의 비율을 구하여 비교합니다.

이때 비율이 작을수록 방이 넓게 느껴집니다.

진주네 모둠의 비율은 $\frac{6}{8}=\frac{3}{4}$이고,

은효네 모둠의 비율은 $\frac{3}{6}=\frac{1}{2}=\frac{2}{4}$입니다.

따라서 은효네 모둠이 더 넓다고 느꼈을 것 같습니다.

08 답 $\frac{13}{21}$

5.2 : 8.4 ⇨ $\frac{5.2}{8.4}=\frac{52}{84}=\frac{13}{21}$

09 답 가, 나, 다

전체에 대한 색칠된 면의 비율이 낮을수록 색칠된 면을 맞힐 가능성이 낮습니다.

가: $\frac{1}{4}$ 나: $\frac{3}{4}$ 다: $\frac{4}{4}=1$

10 답 $\frac{7}{10}$, 0.7

10회 중 그림 면이 3회 나왔으므로 숫자 면은 10−3=7(회) 나왔습니다.

따라서 구하는 비율은 $\frac{7}{10}$ 또는 0.7입니다.

12 답 A

A 마을의 비율은 $\frac{5700}{3}=1900$이고,

B 마을의 비율은 $\frac{8600}{5}=1720$입니다.

따라서 두 지역 중 인구가 더 밀집한 곳은 A입니다.

13 답 인터넷 서점

정가에 대한 할인 금액의 비율이 높을수록 할인율이 더 높습니다.

학교 앞 서점의 비율은 $\frac{1500}{12000}=\frac{1}{8}$이고,

인터넷 서점의 비율은 $\frac{2000}{14000}=\frac{1}{7}$입니다.

따라서 할인율이 더 높은 곳은 인터넷 서점입니다.

14 답 $\frac{1}{4}$

전체 구슬은 $3+5+4=12$(개)이므로

빨간색일 가능성은 $\frac{3}{12}=\frac{1}{4}$입니다.

15 답 0.45

(직사각형 넓이) : (삼각형의 넓이)

$=(9\times6):\left(10\times24\times\frac{1}{2}\right)$

$=54:120$

따라서 구하는 비율은 $\frac{54}{120}=0.45$입니다.

16 답 기차

기차의 비율은 $\frac{180}{2}=90$이고,

승용차의 비율은 $\frac{240}{3}=80$입니다.

따라서 더 빠른 것은 기차입니다.

17 답 현일

현일이의 비율은 $\frac{100}{500}=\frac{1}{5}$이고,

예훈이의 비율은 $\frac{150}{900}=\frac{1}{6}$입니다.

따라서 현일이가 만든 소금물이 더 진합니다.

14 백분율

p. 65~67

> 교과서 + 익힘책 유형

01 (1) 100, 20 (2) 100, 67 **02** ㉡
03 ㉡, ㉠, ㉢ **04** 풀이 참조
05 87.5 % **06** 1반

> 교과서 + 익힘책 응용 유형

07 24 % **08** 20 % **09** 1반
10 160 % **11** ㉡
12 은정: 맞습니다, 재린: 틀립니다

> 잘 틀리는 유형

13 나 **14** 윤수 **15** 30개
16 과학 체험관 **17** 가수 J

02 답 ㉡

$16:25 \Rightarrow \frac{16}{25}=\frac{64}{100}=0.64 \Rightarrow 64\ \%$

03 답 ㉡, ㉠, ㉢

비율을 모두 소수로 나타내면

㉠ 58 % ⇨ 0.58

㉡ $\frac{5}{8}=0.625$

㉢ 0.47

따라서 비율이 큰 것부터 차례대로 ㉡, ㉠, ㉢입니다.

04 답 풀이 참조

비 \ 비율	분수	소수	백분율(%)
9 : 20	$\frac{9}{20}$	0.45	45
4에 대한 7의 비율	$\frac{7}{4}$	1.75	175

05 답 87.5 %

$\frac{7}{8}=0.875 \Rightarrow 0.875\times100=87.5(\%)$

06 답 1반

1반의 찬성률: $\frac{17}{20}\times100=85(\%)$

2반의 찬성률: $\frac{18}{24}\times100=75(\%)$

3반의 찬성률: $\frac{19}{25}\times100=76(\%)$

따라서 찬성률이 가장 높은 반은 1반입니다.

07 답 24 %

$\frac{48}{200}\times100=24(\%)$

08 답 20 %

설탕물의 양은 $20+80=100(g)$이므로

설탕물에 대한 설탕의 비율은

$\frac{20}{100}\times100=20(\%)$입니다.

09 답 1반

1반: $\frac{24}{32}\times100=75(\%)$

2반: $\frac{17}{25}\times100=68(\%)$

따라서 문제를 맞힌 학생의 백분율은 1반이 더 높습니다.

10 답 160 %

(평행사변형의 넓이)=(밑변의 길이)×(높이)이므로

8×(높이)=40, (높이)=40÷8=5(cm)

따라서 높이에 대한 밑변의 길이의 비는 8 : 5이므로

$\frac{8}{5}\times100=160(\%)$입니다.

11 답 ㉡

㉡ $0.73\times100=73(\%)$

12 답 **은정: 맞습니다, 재린: 틀립니다**

재린: $0.2\times100=20$이므로 비율 0.2를 백분율로 나타내면 20 %입니다.

13 답 나

나 가게의 할인율은 $\frac{8}{25}\times100=32(\%)$이므로

나 가게의 할인율이 더 높습니다.

14 답 윤수

(골 성공률)=$\frac{(\text{골대에 공을 넣은 횟수})}{(\text{공을 찬 횟수})}\times100$이므로

(윤수의 골 성공률)=$\frac{22}{25}\times100=88(\%)$

(태훈이의 골 성공률)=$\frac{17}{20}\times100=85(\%)$

따라서 윤수의 골 성공률이 더 높습니다.

15 답 30개

빨간색 풍선이 □개, 노란색 풍선이 (40−□)개 있다고 하면 노란색일 가능성이 25 %이므로

$\frac{40-\square}{40}=0.25$, $40-\square=40\times0.25=10$

$\square=30$

따라서 빨간색 풍선은 30개입니다.

16 답 과학 체험관

(고궁 이용 요금)

$=2000\times27+4000\times1=58000$(원)

(과학 체험관 이용 요금)

$=(2500\times27+4000\times1)\times\frac{80}{100}=57200$(원)

따라서 과학 체험관으로 가는 것이 더 저렴합니다.

17 답 가수 J

좌석 500석에 대한 관객 360명의 비율을 구하여 백분율로 나타내면 $\frac{360}{500}\times100=72(\%)$입니다.

따라서 가수 J가 더 인기가 많습니다.

p. 68

스포츠에서 나타나는 비와 비율

[1] 시우 ⇨ $\frac{30}{120}=0.25$

[2] 규상 ⇨ $\frac{32}{100}=0.32$

[3] 상준 ⇨ $\frac{58}{200}=0.29$

[4] 현서 ⇨ $\frac{27}{90}=0.3$

따라서 규상이가 타율이 가장 높습니다.

[5] 시우 ⇨ $\frac{30}{50}\times100=60(\%)$

[6] 규상 ⇨ $\frac{36}{45}\times100=80(\%)$

[7] 상준 ⇨ $\frac{28}{56}\times100=50(\%)$

[8] 현서 ⇨ $\frac{36}{40}\times100=90(\%)$

따라서 현서가 자유투 성공률이 가장 높습니다.

5 ::: 여러 가지 그래프

15 띠그래프

p. 71~73

> 교과서 + 익힘책 유형

01 띠그래프 **02** 35 % **03** 30 %
04 20 % **05** 15 % **06** 봄 **07** 겨울
08 (1) 30 % (2) 25 % (3) 20 % (4) 15 % (5) 10 %
09 100 % **10** 풀이 참조

> 교과서 + 익힘책 응용 유형

11 강아지 **12** 25 % **13** 4배
14 풀이 참조 **15** 2배
16 초등학교, 중학교, 고등학교
17 풀이 참조

> 잘 틀리는 유형

18 (왼쪽에서부터) 35, 30 **19** 20 % **20** 2배
21 100 % **22** 72명 **23** 2.8 cm
24 25 cm

08 답 (1) 30 % (2) 25 % (3) 20 % (4) 15 % (5) 10 %

(1) 장미: $\frac{12}{40}\times100=30(\%)$

(2) 국화: $\frac{10}{40}\times100=25(\%)$

(3) 백합: $\frac{8}{40}\times100=20(\%)$

(4) 튤립: $\frac{6}{40}\times100=15(\%)$

(5) 기타: $\frac{4}{40}\times100=10(\%)$

10 답 풀이 참조

좋아하는 꽃별 학생 수

0 10 20 30 40 50 60 70 80 90 100(%)
장미 (30 %)
국화 (25 %)
백합 (20 %)
튤립 (15 %)
기타(10 %)

13 답 4배

강아지를 기르고 싶어 하는 학생은 전체의 40 %, 새를 기르고 싶어 하는 학생은 전체의 10 %이므로 $\frac{40}{10}=4$(배)입니다.

14 답 풀이 참조

표를 완성하면 왼쪽에서부터 35, 25, 30, 10, 100입니다.

좋아하는 색깔별 학생 수

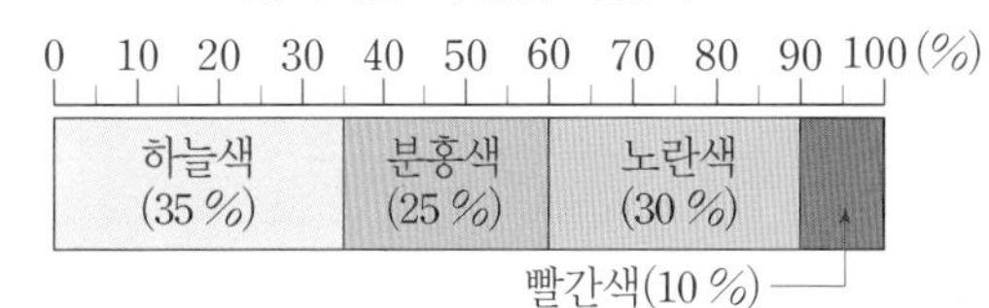

15 답 2배

초등학생은 전체의 40 %, 고등학생은 전체의 20 %이므로 $\frac{40}{20}=$(2배)입니다.

17 답 풀이 참조

(전체 학생 수)$=24+21+12+3=60$(명)

축구: $\frac{24}{60}\times100=40(\%)$

야구: $\frac{21}{60}\times100=35(\%)$

배구: $\frac{12}{60}\times100=20(\%)$

기타: $\frac{3}{60}\times100=5(\%)$

좋아하는 운동별 학생 수

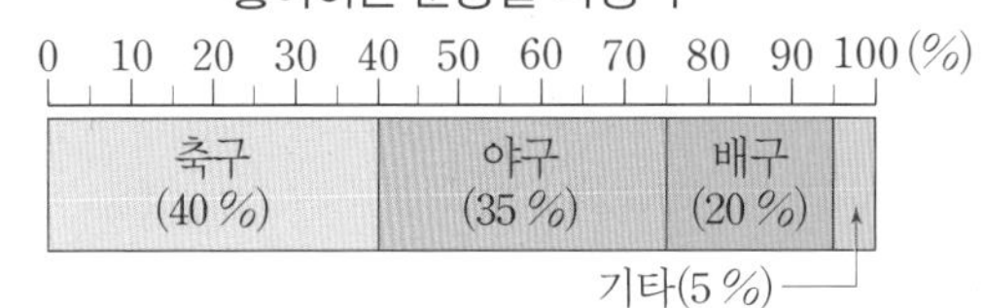

18 답 (왼쪽에서부터) 35, 30

대중 가요: $\frac{14}{40}\times100=35(\%)$

힙합: $\frac{12}{40}\times100=30(\%)$

19 답 20 %

대중 가요를 좋아하는 학생은 35 %, 국악을 좋아하는 학생은 15 %이므로 20 % 더 많습니다.

20 답 2배

힙합을 좋아하는 학생은 전체의 30 %, 국악을 좋아하는 학생은 전체의 15 %이므로 $\frac{30}{15}=2$(배)입니다.

22 답 72명

초등학생이 전체의 $2\times\square$%, 중학생이 전체의 $\square$%라고 하면

$2\times\square+\square+18+10=100$

$3\times\square+28=100$, $3\times\square=72$

$\square=72\div3=24$

따라서 초등학생은 전체의 $2\times24=48(\%)$이므로

$150\times\frac{48}{100}=72$(명)입니다.

23 답 2.8 cm

소설을 좋아하는 학생의 백분율은

$\frac{14}{50}\times100=28(\%)$입니다.

따라서 소설이 차지하는 길이는

$10\times0.28=2.8(\text{cm})$입니다.

24 답 25 cm

전체 책은 역사책의 $\frac{50}{10}=5$(배)이므로

띠그래프의 전체 길이는 $5\times5=25(\text{cm})$입니다.

16 원그래프

p. 75~77

>교과서 + 익힘책 유형

01 원그래프 **02** 40 % **03** 20 %

04 25 % **05** 15 % **06** A형

07 AB형

08 (1) 30 % (2) 20 % (3) 25 % (4) 15 % (5) 10 %

09 100 % **10** 풀이 참조

>교과서 + 익힘책 응용 유형

11 놀이공원 **12** 3배

13 풀이 참조 **14** 다큐멘터리

15 다큐멘터리, 음악 방송, 드라마

16 풀이 참조

>잘 틀리는 유형

17 (왼쪽에서부터) 20, 25 **18** 2.4배

19 12.5 % **20** 100 %

21 풀이 참조 **22** 풀이 참조 **23** 15 %

08 답 (1) 30 % (2) 20 % (3) 25 % (4) 15 % (5) 10 %

(1) 사과: $\frac{18}{60}\times100=30(\%)$

(2) 딸기: $\frac{12}{60}\times100=20(\%)$

(3) 배: $\frac{15}{60}\times100=25(\%)$

(4) 포도: $\frac{9}{60}\times100=15(\%)$

(5) 기타: $\frac{6}{60}\times100=10(\%)$

10 답 풀이 참조

좋아하는 과일별 학생 수

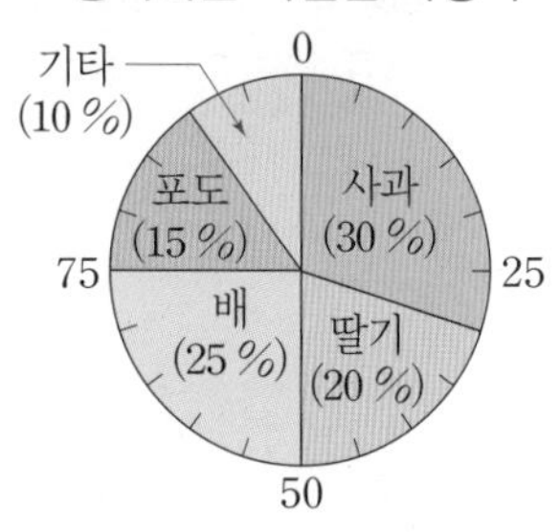

12 답 3배

놀이공원에 가고 싶어 하는 학생은 전체의 45 %, 박물관에 가고 싶어 하는 학생은 전체의 15 %이므로

$\frac{45}{15}=3$(배)입니다.

13 답 풀이 참조

표를 완성하면 왼쪽에서부터 30, 40, 10, 20, 100입니다.

좋아하는 시간

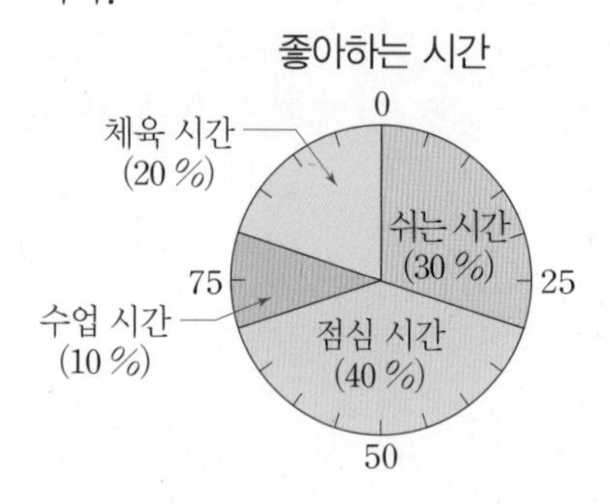

16 답 풀이 참조

(전체 곡물의 생산량)

$=200+280+160+160=800(\text{kg})$

쌀: $\frac{200}{800}\times100=25(\%)$

보리: $\frac{280}{800}\times100=35(\%)$

콩: $\frac{160}{800}\times100=20(\%)$

기타: $\frac{160}{800}\times100=20(\%)$

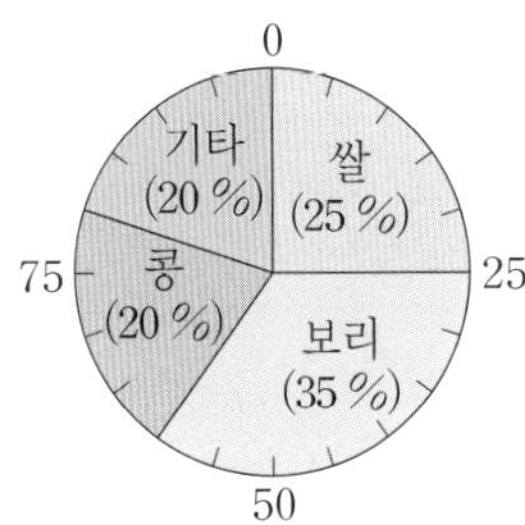

17 답 (왼쪽에서부터) 20, 25

떡볶이: $\frac{8}{40}\times100=20(\%)$

피자: $\frac{10}{40}\times100=25(\%)$

18 답 2.4배

$\frac{12}{5}=2.4$(배)

19 답 12.5 %

$25-12.5=12.5(\%)$

21 답 풀이 참조

약국: $\frac{90}{200}\times100=45(\%)$

병원: $200\times0.3=60$(개)

한의원: $\frac{40}{200}\times100=20(\%)$

기타: $200\times0.05=10$(개)

의료 시설	약국	병원	한의원	기타	합계
시설 수(개)	90	60	40	10	200
백분율(%)	45	30	20	5	100

22 답 풀이 참조

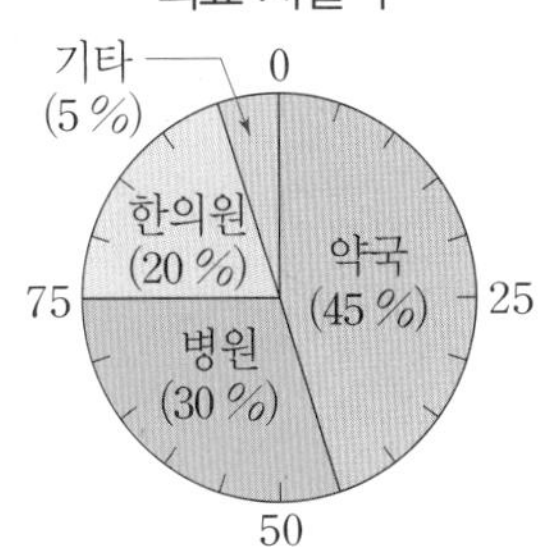

23 답 15 %

약국과 병원의 비율의 차는 $45-30=15(\%)$입니다.

17 그래프 해석하기

p. 79~81

> 교과서 + 익힘책 유형

01 2배 **02** 27 % **03** 135 m^2
04 이순신 **05** 55 % **06** 78명

> 교과서 + 익힘책 응용 유형

07 1.5배 **08** 4800마리
09 2132마리 **10** 2배
11 80곳 **12** 96곳

> 잘 틀리는 유형

13 2배 **14** 2배 **15** 405 kg
16 2000 kg **17** 22 % **18** 17.6 %
19 660명 **20** 2000명

01 답 2배

오이밭은 전체의 32 %, 당근밭은 전체의 16 %이므로 2배입니다.

02 답 27 %

$32-5=27(\%)$

03 답 135 m^2

상추 또는 당근의 비율이 $29+16=45(\%)$이므로 $300\times0.45=135(m^2)$입니다.

05 답 55 %

$43+12=55(\%)$

06 답 78명

이순신 또는 안중근의 비율이 $23+16=39(\%)$이므로 $200\times0.39=78$(명)입니다.

07 답 1.5배

냉장고 생산량은 전체의 27 %, 에어컨 생산량은 전체의 18 %이므로

$\frac{27}{18}=1.5$(배)입니다.

08 답 4800마리

전체 가축의 수를 □라고 하면

$\frac{864}{\square}\times100=18$

$\square=864\times100\div18=4800$

따라서 전체 가축은 4800마리입니다.

09 답 2132마리

닭은 소의 $\frac{52}{13}=4$(배)이므로 소가 533마리이면 닭은 $533\times4=2132$(마리)입니다.

10 답 2배

사과 재배 넓이는 전체의 36 %, 딸기 재배 넓이는 전체의 18 %이므로 $\frac{36}{18}=2$(배)입니다.

11 답 80개

옷가게는 전체의 20 %이므로 전체 상점은 옷가게의 5배입니다.

따라서 전체 상점은 $16\times5=80$(곳)입니다.

12 답 96개

마트는 음식점의 $\frac{40}{24}=\frac{8}{5}$(배)이므로 음식점이 60곳이면 마트는 $60\times\frac{8}{5}=96$(곳)입니다.

15 답 405 kg

$1500\times\frac{27}{100}=405(\text{kg})$

16 답 2000kg

곡물의 총 생산량을 □라고 하면

$\frac{640}{\square}\times100=32$

$\square=640\times100\div32=2000$

따라서 2018년의 곡물의 총 생산량은 2000 kg입니다.

17 답 22 %

전체 학생 수를 □라고 하면 남학생 수는 $\square\times\frac{55}{100}$입니다.

축구를 좋아하는 남학생은 (남학생 수)$\times\frac{40}{100}$이므로

$\square\times\frac{55}{100}\times\frac{40}{100}=\square\times\frac{22}{100}$

따라서 전체 학생의 22 %입니다.

18 답 17.6 %

전체 학생 수를 □라고 하면 야구를 좋아하는 남학생은 (남학생 수)$\times\frac{32}{100}$이므로

$\square\times\frac{55}{100}\times\frac{32}{100}=\square\times\frac{17.6}{100}$

따라서 전체 학생의 17.6 %입니다.

19 답 660명

축구를 좋아하는 남학생은 전체 학생의 22 %이므로 $3000\times0.22=660$(명)입니다.

20 답 2000명

야구를 좋아하는 남학생은 전체 학생의 17.6 %이므로

$\frac{352}{(\text{전체 학생 수})}\times100=17.6$

(전체 학생 수)$=352\times100\div17.6=2000$명입니다.

6 직육면체의 부피와 겉넓이

18 직육면체의 부피

p. 85~87

> 교과서 + 익힘책 유형

01 가 **02** 나, 다, 가 **03** $140\ cm^3$ **04** 6
05 16 **06** $200\ cm^3$

> 교과서 + 익힘책 응용 유형

07 풀이 참조 **08** 4 cm **09** $420\ cm^3$
10 8배 **11** $216\ cm^3$ **12** $48\ cm^3$

> 잘 틀리는 유형

13 풀이 참조 **14** ㉡ **15** 3 cm
16 $1500\ cm^3$ **17** $64\ cm^3$
18 $125\ cm^3$

01 답 가
쌓기나무가 **가**는 30개, **나**는 36개이므로 **가**의 부피가 더 작습니다.

02 답 나, 다, 가
쌓기나무가 **가**는 8개, **나**는 18개, **다**는 12개이므로 부피가 큰 것부터 차례대로 **나**, **다**, **가**입니다.

03 답 $140\ cm^3$
(직육면체의 부피)=(밑면의 넓이)×(높이)이므로
(직육면체의 부피)$=28\times5=140(cm^3)$입니다.

04 답 6
(직육면체의 부피)=(가로)×(세로)×(높이)이므로
$\square\times9\times10=540$, $\square\times90=540$, $\square=6$

05 답 16
두 직육면체의 부피가 같으므로
$8\times8\times12=8\times6\times\square$에서 $\square=16$입니다.

06 답 $200\ cm^3$
(직육면체의 부피)$=10\times4\times5=200(cm^3)$

07 답 풀이 참조
(직육면체의 부피)$=3\times8\times3=72(cm^3)$
(정육면체의 부피)$=5\times5\times5=125(cm^3)$
따라서 정육면체의 부피가 $125-72=53(cm^3)$ 더 큽니다.

08 답 4 cm
정육면체의 한 모서리의 길이를 □라고 하면
$\square\times\square\times\square=64=4\times4\times4$이므로 $\square=4$
따라서 정육면체의 한 모서리의 길이는 4 cm입니다.

09 답 $420\ cm^3$
(직육면체의 부피)$=6\times7\times10=420(cm^3)$

10 답 8배
한 모서리의 길이가 6 cm인 정육면체의 부피는
$6\times6\times6=216(cm^3)$
한 모서리의 길이를 2배로 늘인 정육면체의 부피는
$12\times12\times12=1728(cm^3)$
따라서 $1728\div216=8$(배)입니다.

11 답 $216\ cm^3$
한 모서리의 길이가 3 cm인 쌓기나무 1개의 부피는
$3\times3\times3=27(cm^3)$입니다.
정육면체는 이 쌓기나무 8개로 만들었으므로 정육면체의 부피는 $27\times8=216(cm^3)$입니다.

12 답 $48\ cm^3$
(입체도형의 부피)
=(아래 직육면체의 부피)+(위 정육면체의 부피)
$=(5\times4\times2)+(2\times2\times2)$
$=40+8=48(cm^3)$

13 답 풀이 참조
(직육면체의 부피)$=10\times9\times5=450(cm^3)$
(정육면체의 부피)$=8\times8\times8=512(cm^3)$
따라서 직육면체의 부피가 $512-450=62(cm^3)$ 더 작습니다.

14 답 ㉡
㉠ $6\times6\times6=216(cm^3)$
㉡ (한 면의 넓이)$=49\ cm^2$이면
(한 변의 길이)=7 cm이므로
$7\times7\times7=343(cm^3)$
㉢ $24\times14=336(cm^3)$
따라서 부피가 가장 큰 것은 ㉡입니다.

15 답 3 cm

총 쌓기나무의 개수는 8이므로 쌓기나무 1개의 부피는 $216 \div 8 = 27(\text{cm}^3)$입니다.

이때 $3 \times 3 \times 3 = 27(\text{cm}^3)$이므로 쌓기나무의 한 모서리의 길이는 3 cm입니다.

16 답 $1500\ \text{cm}^3$

(돌의 부피)=(늘어난 물의 부피)

$=15 \times 20 \times 5 = 1500(\text{cm}^3)$

17 답 $64\ \text{cm}^3$

(정사각형의 한 변의 길이)$=12 \div 3 = 4(\text{cm})$

전개도를 접으면 한 모서리의 길이가 4 cm인 정육면체이므로 만들려는 선물 상자의 부피는 $4 \times 4 \times 4 = 64(\text{cm}^3)$입니다.

18 답 $125\ \text{cm}^3$

만들 수 있는 가장 큰 정육면체는 한 모서리의 길이가 5 cm이므로 부피는 $5 \times 5 \times 5 = 125(\text{cm}^3)$입니다.

19 m^3 알아보기

p. 89~91

> 교과서 + 익힘책 유형

01 $140\ \text{m}^3$ **02** $0.24\ \text{m}^3$, $240000\ \text{cm}^3$ **03** ⑤

04 $64\ \text{m}^3$ **05** $0.18\ \text{m}^3$

06 (1) 12000000, (2) 7.06, (3) 0.05

> 교과서 + 익힘책 응용 유형

07 (1) < (2) > **08** $29.4\ \text{m}^3$

09 $0.28\ \text{m}^3$ **10** ㉣

11 8개 **12** $216\ \text{m}^3$

> 잘 틀리는 유형

13 풀이 참조 **14** ㉡

15 지우개 - ㉠, 냉장고 - ㉢ **16** $0.216\ \text{m}^3$

17 $0.324\ \text{m}^3$ **18** 750개

01 답 $140\ \text{m}^3$

(직육면체의 부피)$=8 \times 5 \times 3.5 = 140(\text{m}^3)$

02 답 $0.24\ \text{m}^3$, $240000\ \text{cm}^3$

(직육면체의 부피)$=1.2 \times 0.5 \times 0.4$

$=0.24(\text{m}^3)$

$=240000(\text{cm}^3)$

03 답 ⑤

⑤ $70000\ \text{cm}^3 = 0.07\ \text{m}^3$

04 답 $64\ \text{m}^3$

(정육면체의 부피)$=4 \times 4 \times 4 = 64\ (\text{m}^3)$

05 답 $0.18\ \text{m}^3$

(직육면체의 부피)

$=1 \times 0.3 \times 0.6$

$=0.18(\text{m}^3)$

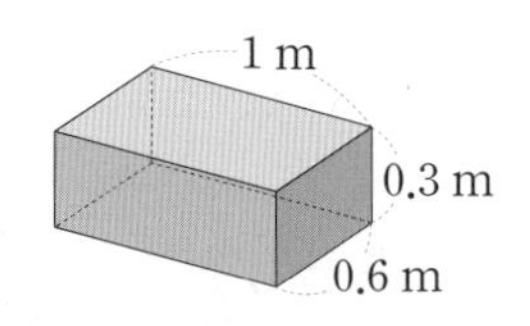

07 답 (1) < (2) >

(1) $5800000\ \text{cm}^3 = 5.8\ \text{m}^3$이므로 ○ 안에 알맞은 것은 <입니다.

(2) $410000\ \text{cm}^3 = 0.41\ \text{m}^3$이므로 ○ 안에 알맞은 것은 >입니다.

08 답 $29.4\ \text{m}^3$

(직육면체의 부피)$=2 \times 3.5 \times 4.2 = 29.4(\text{m}^3)$

09 답 $0.28\ \text{m}^3$

(직육면체의 부피)$=0.4 \times 0.7 \times 1 = 0.28(\text{m}^3)$

10 답 ㉣

㉠ $10.7\ \text{m}^3$

㉡ $9500000\ \text{cm}^3 = 9.5\ \text{m}^3$

㉢ $2 \times 2 \times 2 = 8(\text{m}^3)$

㉣ $0.8 \times 3 \times 8 = 19.2(\text{m}^3)$

11 답 8배

한 모서리의 길이가 8 m인 정육면체의 부피는 $8 \times 8 \times 8 = 512(\text{m}^3)$

한 모서리의 길이가 400 cm인 정육면체의 부피는 $4 \times 4 \times 4 = 64(\text{m}^3)$

따라서 $512 \div 64 = 8$(배)입니다.

12 답 $216\ m^3$

한 모서리의 길이가 200 cm인 쌓기나무 1개의 부피는 $2\times2\times2=8(m^3)$입니다.

(정육면체의 부피)=(쌓기나무 1개의 부피)×27

$=8\times27=216(m^3)$

13 답 풀이 참조

(직육면체의 부피)$=5\times5\times3=75(m^3)$

(정육면체의 부피)$=4\times4\times4=64(m^3)$

따라서 직육면체의 부피가 $75-64=11(cm^3)$ 더 큽니다.

14 답 ㉡

㉠ $5\times5\times5=125(m^3)$

㉡ $7\times7\times7=343(m^3)$

㉢ $200\times0.5=100(m^3)$

따라서 부피가 가장 큰 것은 ㉡입니다.

16 답 $0.216\ m^3$

(정사각형의 한 변의 길이)$=1.2\div2=0.6(m)$

(정육면체의 부피)$=0.6\times0.6\times0.6=0.216(m^3)$

17 답 $0.324\ m^3$

구하는 입체도형의 부피는 세 모서리의 길이가 1.2 m, 0.8 m, 40 cm인 직육면체의 부피에서 세 모서리의 길이가 30 cm, (0.8−0.3)m, 40 cm인 직육면체의 부피를 뺀 것과 같습니다.

$1.2\times0.8\times0.4-0.3\times0.5\times0.4$

$=0.384-0.06=0.324(m^3)$

18 답 750개

1 m에는 20 cm를 5개 놓을 수 있으므로 3 m에는 15개, 2 m에는 10개, 1 m에는 5개 놓을 수 있습니다.

따라서 창고에 쌓을 수 있는 상자 수는

$15\times10\times5=750$(개)입니다.

20 직육면체의 겉넓이

p. 93~95

> 교과서 + 익힘책 유형

01 $24\ cm^2$ **02** $216\ cm^2$ **03** $150\ cm^2$ **04** 나 **05** 10 **06** 7 cm

> 교과서 + 익힘책 응용 유형

07 $136\ cm^2$ **08** 4배 **09** $250\ cm^2$ **10** $384\ cm^2$ **11** 2 cm **12** $162\ cm^2$

> 잘 틀리는 유형

13 5 **14** 7 cm **15** 4 **16** 15 cm **17** $248\ cm^2$ **18** $2400\ cm^2$

01 답 $24\ cm^2$

(정육면체의 겉넓이)=(한 면의 넓이)×6

$=(2\times2)\times6=24(cm^2)$

02 답 $216\ cm^2$

(직육면체의 겉넓이)

=(전개도의 넓이)

$=(6\times3+10\times6+3\times10)\times2=216(cm^2)$

03 답 $150\ cm^2$

(정육면체의 겉넓이)$=(5\times5)\times6=150(cm^2)$

04 답 나

가: $(10\times8+8\times3+3\times10)\times2=268(cm^2)$

나: $(7\times7)\times6=294(cm^2)$

따라서 나 상자의 겉넓이가 더 큽니다.

05 답 10

$(5\times2+5\times\square+2\times\square)\times2=160$

$(10+7\times\square)\times2=160$

$10+7\times\square=80$, $7\times\square=70$

$\square=10$

06 답 7 cm

정육면체의 한 모서리의 길이를 □cm라고 하면

$(9\times3+3\times10+10\times9)\times2=\square\times\square\times6$

$294=\square\times\square\times6$, $49=\square\times\square$

$\square=7$

따라서 정육면체의 한 모서리의 길이는 7 cm입니다.

07 답 $136\ cm^2$

(직육면체의 겉넓이)

=(한 밑면의 넓이)×2+(옆면의 넓이)

$=32\times2+72=136(cm^2)$

08 답 4배

한 모서리의 길이가 3 cm인 정육면체의 겉넓이는

$(3\times3)\times6=54(cm^2)$

모서리의 길이를 2배로 늘린 정육면체의 겉넓이는

$(6\times6)\times6=216(cm^2)$

따라서 $216\div54=4$(배)가 됩니다.

09 답 $250\ cm^2$

(직육면체의 겉넓이)

=(옆면의 넓이)+(두 밑면의 넓이)

$=(5\times10)\times4+(5\times5)\times2$

$=200+50=250(cm^2)$

10 답 $384\ cm^2$

(정육면체의 한 모서리의 길이)$=32\div4=8(cm)$

(정육면체의 겉넓이)$=(8\times8)\times6=384(cm^2)$

11 답 2 cm

직육면체의 가로를 □cm라고 하면

$(9\times\square+\square\times3+3\times9)\times2=102$

$12\times\square+27=51$, $12\times\square=24$, $\square=2$

따라서 직육면체의 가로는 2 cm입니다.

12 답 $162\ cm^2$

(쌓기나무의 한 면의 넓이)$=3\times3=9(cm^2)$

만든 입체도형에는 $9\ cm^2$인 면이

$(3+4+2)\times2=18$(개)입니다.

(겉넓이)$=9\times18=162(cm^2)$

13 답 5

직육면체의 겉넓이가 $210\ cm^2$이므로

$(8\times5+5\times\square+8\times\square)\times2=210$

$40+13\times\square=105$, $13\times\square=65$

$\square=5$

14 답 7 cm

정육면체의 한 모서리의 길이를 □라고 하면

$\square\times\square\times6=294$

$\square\times\square=49$, $\square=7$

따라서 정육면체의 한 모서리의 길이는 7 cm입니다.

15 답 4

전개도를 접어 만든 직육면체의 겉넓이가 $228\ cm^2$이므로

$(9\times6+\square\times6+\square\times9)\times2=228$

$54+\square\times15=114$, $\square\times15=60$

$\square=4$

16 답 15 cm

정육면체의 한 모서리의 길이를 □cm라고 하면

$(21\times15+15\times10+10\times21)\times2=\square\times\square\times6$

$1350=\square\times\square\times6$, $225=\square\times\square$

$225=15\times15$이므로 $\square=15$

따라서 정육면체의 한 모서리의 길이는 15 cm입니다.

17 답 $248\ cm^2$

(쌓기나무 한 면의 넓이)$=2\times2=4(cm^2)$

만든 입체도형에는 $4\ cm^2$인 면이

$(12+10+9)\times2=62$(개)입니다.

(겉넓이)$=4\times62=248(cm^2)$

18 답 $2400\ cm^2$

정육면체의 한 모서리의 길이는 4 cm, 5 cm, 2 cm의 공배수가 되므로 가장 작은 정육면체의 한 모서리의 길이는 4 cm, 5 cm, 2 cm의 최소공배수가 됩니다.

4, 5, 2의 최소공배수는 20이므로 만들 수 있는 가장 작은 정육면체의 한 모서리의 길이는 20 cm입니다.

(정육면체의 겉넓이)$=(20\times20)\times6=2400(cm^2)$

풍산자
개념 × 유형
초등 수학 6-1

풍산자 라인업

중학 풍산자로 개념과 문제를 꼼꼼히 풀면 성적이 지속적으로 향상됩니다

상위권으로의 도약을 위한 중학 풍산자 로드맵

풍산자 개념완성 / 풍산자 반복수학 / 풍산자 테스트북 / 풍산자 필수유형

중학 풍산자 교재	하	중하	중	상
풍산자 개념완성 중학수학 1-1 강남구청 인터넷수능방송 강의교재 원리 개념서 **풍산자 개념완성**	필수 문제로 개념 정복, 개념 학습 완성			
풍산자 반복수학 중학수학 1-1 기초 반복훈련서 **풍산자 반복수학**	개념 및 기본 연산 정복, 기초 실력 완성			
풍산자 테스트북 중학수학 1-1 실전평가 테스트 **풍산자 테스트북**		단원별 엄선 문제, 실력 점검 및 실전 대비		
풍산자 필수유형 중학수학 1-1 강남구청 인터넷수능방송 강의교재 실전 문제유형서 **풍산자 필수유형**		모든 기출 유형 정복, 시험 준비 완료		